Anne-Marie Bélisle • Françoise Tchou • Pierrette Tranquille

1re année

Données de catalogage disponibles dans la base de données de Bibliothèque et Archives nationales du Québec

Les Éditions Marcel Didier reconnaissent l'aide financière du gouvernement du Canada par l'entremise du Fonds du livre du Canada (FLC) pour leurs activités d'édition.

Ouvrage réalisé sous la direction de Michel Brindamour

Édition : Loïc Hervouet
Révision linguistique : Corinne Dumont
Correction d'épreuves : Émilie Leclerc
Conception graphique et réalisation de la couverture : Geneviève Dussault
Conception graphique et réalisation de l'intérieur : Louise Durocher
Illustrations : Caroline Merola

ISBN : 978-2-89144-573-3

Dépôt légal – 2e trimestre 2013
Bibliothèque et Archives nationales du Québec
Bibliothèque et Archives Canada

Diffusion-distribution en Amérique du Nord :
Distribution HMH
1815, avenue De Lorimier
Montréal (Québec) H2K 3W6
www.distributionhmh.com

Diffusion-distribution en Europe :
Librairie du Québec/DNM
30, rue Gay-Lussac
75005 Paris FRANCE
www.librairieduquebec.fr

En Suisse :
Servidis S.A. GM
5, chemin des Chaudronniers
Case postale 3663
CH-1211 Genève 3 SUISSE
www.servidis.ch

Réimprimé en avril 2020 sur les presses de Marquis Imprimeur
Montmagny, Québec, Canada
www.editions**md**.com

Présentation de la collection

Le français pas à pas

L'objectif de cette collection est d'aider les élèves de chaque année du primaire à surmonter leurs difficultés en lecture et en écriture.

Les auteures ont identifié les difficultés les plus fréquemment rencontrées par les élèves et proposent ici des stratégies spécifiques pour les résoudre.

Au premier cycle, plusieurs outils d'apprentissage sont proposés :

- les cartes-sons servent de références à l'élève afin de faciliter son apprentissage ;
- les phrases découpées à l'aide de barres obliques (/) favorisent la lecture par groupes de mots ;
- les sons difficiles («an», «in», «ou», etc.) soulignés au début de l'ouvrage aident l'élève à les lire comme un tout ;
- les principales liaisons sont indiquées afin de favoriser la fluidité de la lecture.

En plus de ces outils d'apprentissage, des pictogrammes représentant des stratégies à développer par l'élève accompagnent les exercices pour lui rappeler quand les utiliser.

Les pictogrammes utilisés dans ce livre

J'utilise mes cartes-sons.
Ces cartes doivent être placées à portée de main de l'élève afin qu'il puisse s'y référer au besoin. Lorsqu'il fait une erreur ou qu'il hésite, il est important qu'il les consulte plutôt que de s'en remettre à vous.

Je pointe la première lettre.
La première lettre est la porte d'entrée du mot. L'élève doit s'habituer à la lire en premier pour être en mesure de décoder adéquatement le mot.

Je lis de gauche à droite.
La lecture de gauche à droite ne va pas de soi pour tous les enfants. Plusieurs voient les lettres comme un tout, sans tenir compte de leur ordre. Ce pictogramme rappelle à l'élève de lire les lettres dans l'ordre où elles apparaissent, de gauche à droite.

Je sépare en syllabes.
L'élève trace des traits pour séparer un mot dont la lecture est difficile. Cela lui permet de se concentrer successivement sur de petits groupes de lettres.

J'arrête ma lecture quand je ne comprends pas.
En lisant, l'élève doit savoir identifier les moments où il perd le fil. Il suspend alors sa lecture et s'interroge sur les raisons de son incompréhension (mauvais décodage, mot inconnu, etc.). Cette stratégie est essentielle pour éviter qu'il lise «à vide».

Je crée une image dans ma tête.
Lire, c'est comme regarder la télévision. Les images permettent de comprendre ce qui se passe. Quand il commence sa lecture, rappelez à l'élève qu'il doit allumer sa télévision mentale et construire des images dans sa tête.

Je garde les informations importantes dans ma tête afin de pouvoir les réutiliser.
L'élève conserve dans sa tête les images les plus importantes. Par la suite, cela l'aidera à répondre à des questions sur le texte.

Je surligne les informations importantes.
L'élève fait une lecture active en surlignant les mots qui l'ont aidé à trouver la réponse. Cela permet de faire le lien entre la question, le texte et la réponse. Cela évite aussi que l'enfant trouve la réponse dans sa tête sans la valider à l'aide du texte.

Je peux retrouver un mot rapidement dans un texte.
Pour chercher une réponse à une question, l'élève n'a pas à relire le texte en entier. Il doit le survoler afin d'y trouver un mot correspondant à la question.

Sommaire

LECTURE

Le mot de l'orthopédagogue

Dans la première section, l'élève développe deux habiletés préalables à une bonne compréhension en lecture : le **décodage** exact et la **rapidité de lecture**.

Pour le décodage, cinq séries d'exercices sont proposées pour s'attaquer aux principales difficultés rencontrées par les élèves de 1re année :

- différencier les accents;
- éviter de confondre les consonnes;
- reconnaître et mémoriser les sons difficiles;
- éviter les inversions de lettres;
- déchiffrer correctement les mots nouveaux ou difficiles.

Les exercices sont accompagnés de pictogrammes qui rappellent les stratégies à employer. Si l'élève rencontre une difficulté, ne lui donnez pas la réponse. Invitez-le à regarder le pictogramme et à appliquer la stratégie illustrée.

Pour la rapidité de lecture, qui s'acquiert par la pratique, deux textes sont proposés. L'élève doit les lire plusieurs fois en se chronométrant. Afin de l'encourager à s'améliorer, notez chaque fois le temps que lui a pris la lecture du texte. En 1re année, le débit à atteindre, pour un lecteur moyen, est de 53 mots lus correctement par minute. Rappelons qu'en aucun cas la rapidité ne doit primer sur l'exactitude du décodage, l'intonation et le respect de la ponctuation.

La compréhension d'un texte écrit est le véritable but de l'apprentissage de la lecture. Il s'agit d'une activité de communication : l'élève doit comprendre le message qui lui est adressé et y réagir adéquatement. Toutes les activités réalisées dans la partie décodage et rapidité de lecture ont pour but de faciliter la compréhension d'un message écrit.

Dans la deuxième section, qui est consacrée à la **compréhension de lecture**, l'élève développe des habiletés essentielles au bon lecteur.

L'imagerie mentale

Lire ne signifie pas seulement décoder correctement, c'est aussi donner un sens aux mots et aux phrases qui composent le texte. C'est pourquoi il est essentiel de s'assurer que l'élève transforme ce qu'il lit en images.

La reconnaissance de l'ordre chronologique

L'information présente dans un texte est ordonnée. Dans les textes narratifs, ceux qui racontent une histoire, l'élève retrouve l'ordre chronologique qui structure la progression de l'histoire.

Les inférences : lire entre les lignes

L'élève apprend à «lire entre les lignes», c'est-à-dire à utiliser des indices contenus dans le texte pour en tirer une information nouvelle.

Les mots interrogatifs

L'élève doit se familiariser avec les mots interrogatifs. Ceux-ci sont abstraits et l'on croit souvent à tort que leur signification est évidente pour tous les élèves.

Répondre à des questions sur un texte

Pour réussir cette activité, l'élève doit procéder par étapes :

1. Encadrer le mot interrogatif et écrire au-dessus le type d'information recherchée.
2. Surligner les mots importants de la question.
3. Survoler le texte pour retrouver le ou les mots surlignés dans la question.
4. Surligner la réponse trouvée dans le texte et la recopier correctement.

Décodage et rapidité de lecture

L'alphabet

Aa	Bb	Cc	Dd
Ee	Ff	Gg	Hh
Ii	Jj	Kk	Ll
Mm	Nn	Oo	Pp
Qq	Rr	Ss	Tt
Uu	Vv	Ww	Xx
Yy	Zz		

Mot de l'orthopédagogue : Rappelez à l'élève que les lettres ont un nom et qu'elles produisent aussi un son. Les élèves doivent connaître le son de la lettre puisque c'est celui-ci qu'ils utiliseront lors de la lecture.
Exemple : Le son de la lettre **f** est «**f**».

Cartes-sons

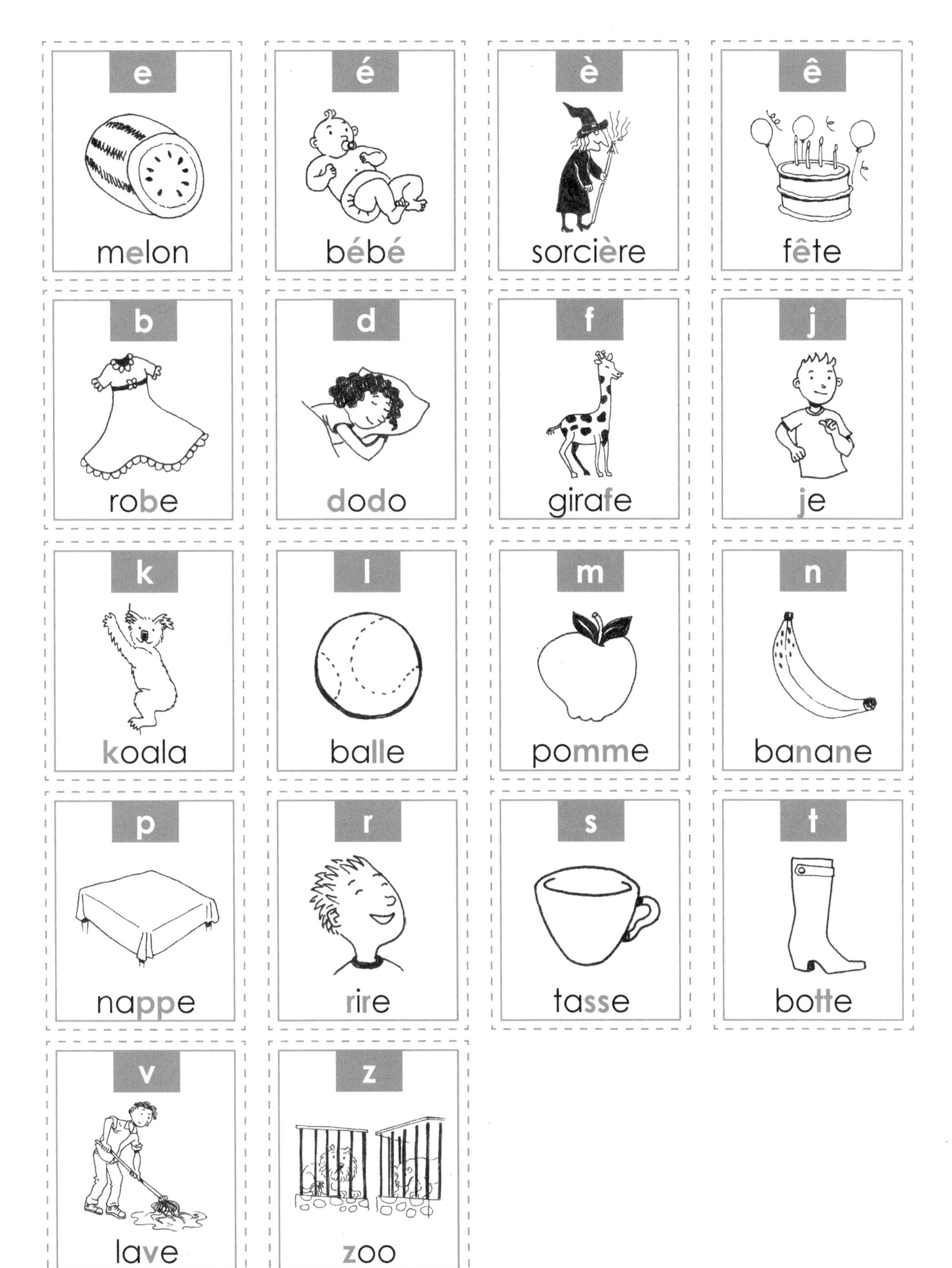
e
melon
é
bébé
è
sorcière
ê
fête
b
robe
d
dodo
f
girafe
j
je
k
koala
l
balle
m
pomme
n
banane
p
nappe
r
rire
s
tasse
t
botte
v
lave
z
zoo

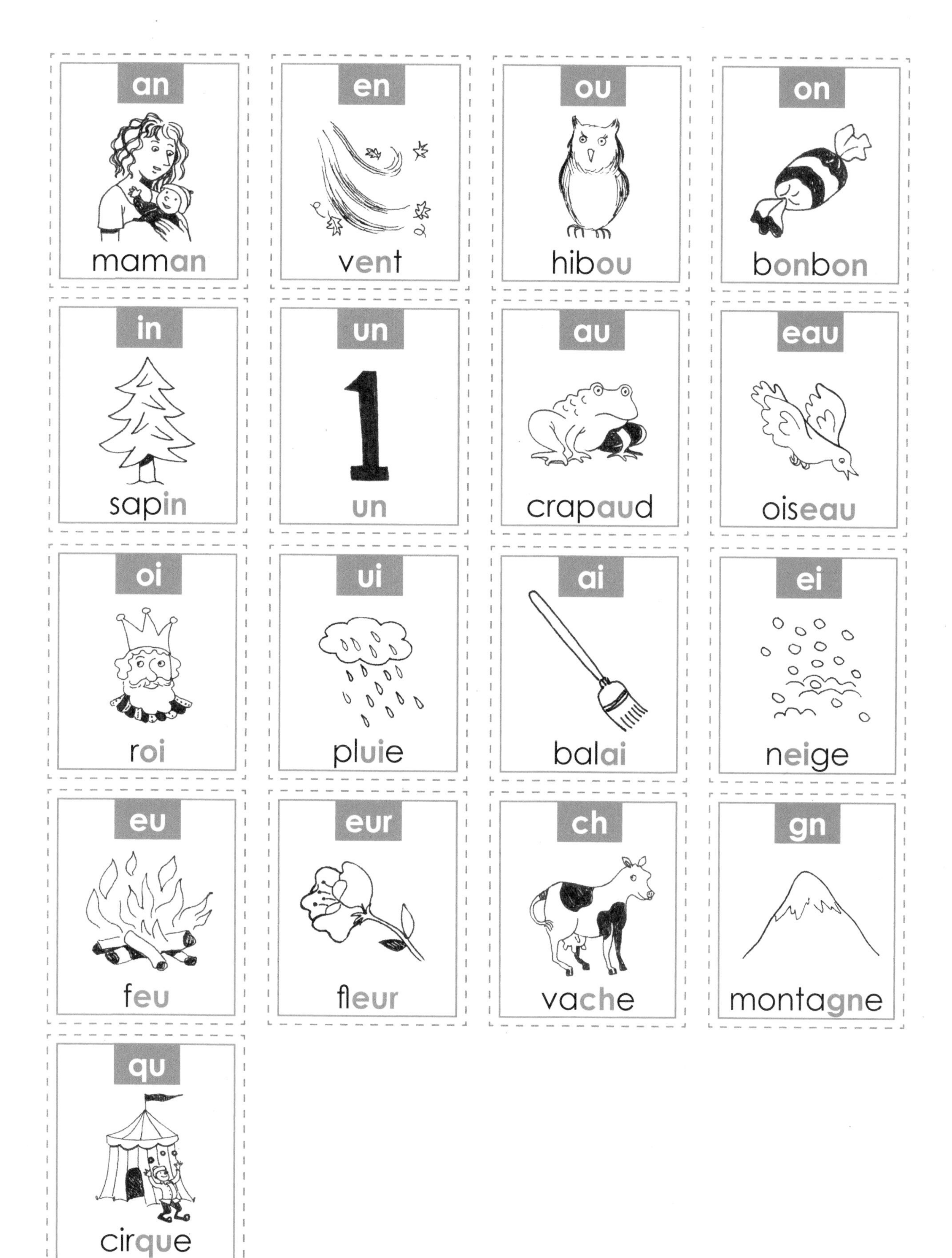
an
maman
en
vent
ou
hibou
on
bonbon
in
sapin
un
1
un
au
crapaud
eau
oiseau
oi
roi
ui
pluie
ai
balai
ei
neige
eu
feu
eur
fleur
ch
vache
gn
montagne
qu
cirque

Différencier les accents

1. Dis le mot illustré.
Entoure le ou les sons que tu entends : ê, é ou è.

	è ê é		è ê é
	è ê é		è ê é
	è ê é		è ê é
	è ê é		è ê é
	è ê é		è ê é
	è ê é		è ê é

2. Lis les lettres.

a) é e è é ê e ê é

b) e ê è é è ê è e

c) é ê è ê é e è é

3. Lis les syllabes.

a) pé te mè sé lê ve mê

b) rè be fê né pe tê lè

c) fè re se pè lé nè vê

4. Lis les mots.

lavé lave	pèle pelé
lève levé	bêlé bêle
pilé pile	vélo vêtu
mêlé mêle	père mère
élève élevé	tapé tape

Mot de l'orthopédagogue : Il est essentiel que l'élève relise plusieurs fois les séquences où il rencontre plus de difficultés. La répétition l'aidera à maîtriser les sons difficiles.
L'élève doit mémoriser les mots les plus courants contenant un **e** accent circonflexe (ê) : tête, fête, bête, rêve, fenêtre.

Éviter de confondre les consonnes

1. Dis le mot illustré.
Entoure le son que tu entends au début du mot.

	f v t		f l v
	p b d		d t b
	s j ch		ch s j
	b d p		p b d
	j s ch		v f l
	s j ch		f v b

Mot de l'orthopédagogue : Afin d'aider l'élève à identifier la lettre sur la page des cartes-sons, prononcez avec lui, très clairement, la première lettre et soutenez le son.
Exemple : f... f... f... fusée.

lundi

2. Lis les syllabes.

a) bi dé pa bê du po tè ba dé

b) sè che za ché zu jo sê ju che

c) fe vi fê fa vé fi vê vè fo

d) mê ne né mi ma mé nê nè nu

3. Dis le mot illustré. Colorie les cases des syllabes qui forment ce mot.

di	ge
bi	che

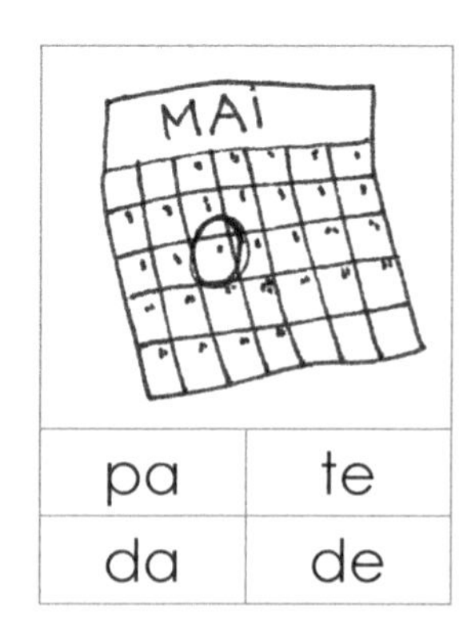

pa	te
da	de

chu	bo
ju	do

pé	ba	me
bé	da	le

tu	li	be
du	lé	pe

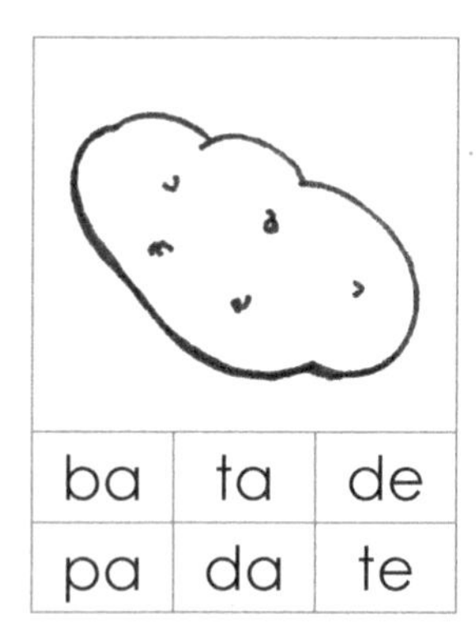

ba	ta	de
pa	da	te

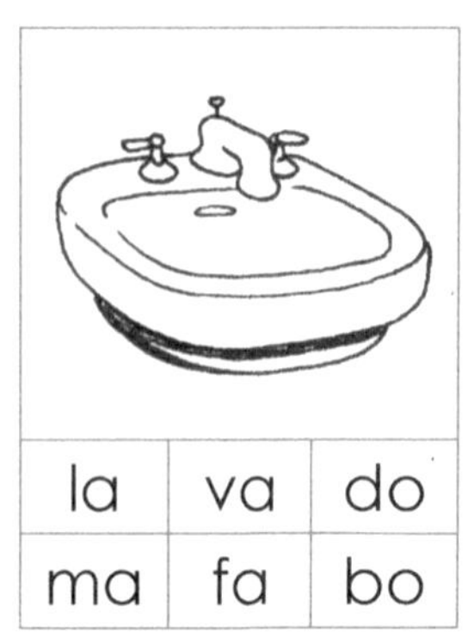

la	va	do
ma	fa	bo

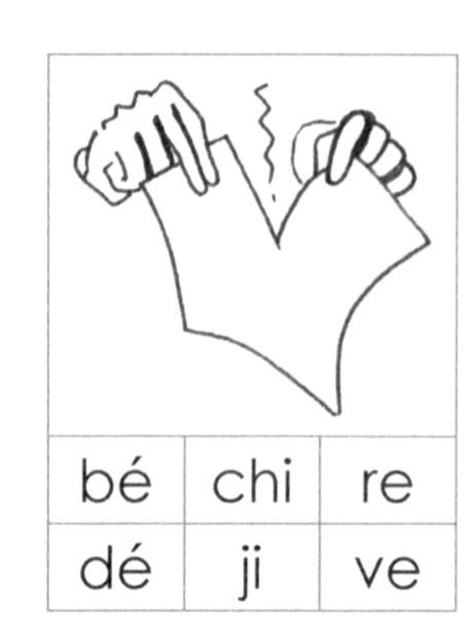

bé	chi	re
dé	ji	ve

pé	da	le
dé	ta	li

4. Lis les mots.

a) riche miche biche roche ruche

b) bolide balade solide valide salade

c) avale élève olive rafale raffole

5. Lis les mots.
Barre ceux qui n'ont pas de sens.

pilote ralepi pirate carome

mirobi farine répare lavabo

pubino davilo patate moruve

6. Lis les mots.

locomotive saleté pédalo Caroline

bipède limonade mélodie timidité

7. Dans chaque phrase, trouve le mot qui n'a pas de sens.
Réécris-le correctement.

a) David rêve qu'il fait du félo. //

b) Julie lave sa rode / dans le lavabo. //

c) Le chat dort sur le tabis du salon. //

d) Madame Adèle aime
les tulides de son jardin. //

e) La fée des arbres habite
dans la vorêt. //

Reconnaître et mémoriser les sons difficiles

Les principaux sons difficiles

1. Dis le mot illustré.
Colorie le cercle selon le son que tu entends : le son au en jaune, le son ou en rouge, le son eu en bleu.

2. Lis les syllabes.

a) bin tan jon sau lei rui poi feu

b) mou kan fui choi qui teur vin pen

c) qua gne tui nei pai deau lon chon

3. Lis les mots.

a) douche bouche couche coule couleur

b) monte montagne menteur vendeur senteur

c) tuile huile houle moule meule meute mante

4. Entoure les images dans lesquelles tu entends le son on.

5. Lis les phrases.
Barre celles qui contiennent un mot qui n'a pas de sens.

a) Durant la nuit, / le lapin mange la laitue du jardin. //

b) Le loup-garou fait peur aux enfants. //

c) La gnadoule s'amuse / dans la maison / avec son amie. //

d) L'oiseau se cache dans l'arbre / près du ruisseau. //

e) Ce matin, / le toudeau se promène / dans la rue. //

6. **Dis le mot illustré.**
Complète les mots avec le ou les bons sons.

une mais____

du rais____

un p____ss____

la n____t

un papill____

le r____

la m____ ____e

un ____âteau

des fr____ts

un mas____

le pei____e

un sap____

7. Lis les textes.

Le roi Éloi

Un roi nommé Éloi est tout en émoi! // Depuis un mois, / sa douce fille Françoise passe sa journée sur le toit / malgré le froid. // Françoise est triste. // Elle regarde passer les nuages / et les oiseaux. // Un soir, / elle voit venir un bateau à voile / qui ramène son ami Benoit. // Elle pleure de joie / et sèche ses larmes / avec son mouchoir de soie. //

Le meuble de ma sœur

Ma sœur veut acheter un nouveau meuble. // Elle doit choisir sa couleur. // Bleu ? // Vert ? // Rouge ? // Jaune ? // C'est difficile. // Est-ce la bonne largeur ? // Est-ce la bonne hauteur ? // Elle ne peut décider seule. // Enfin, / un jeune vendeur vient l'aider. // Ma sœur est contente. // Jeudi, / elle installera le fameux meuble / au milieu du salon bleu. //

Mot de l'orthopédagogue : L'élève devrait relire les textes jusqu'à ce que le décodage soit exact et la lecture fluide.

Le c doux et le g doux

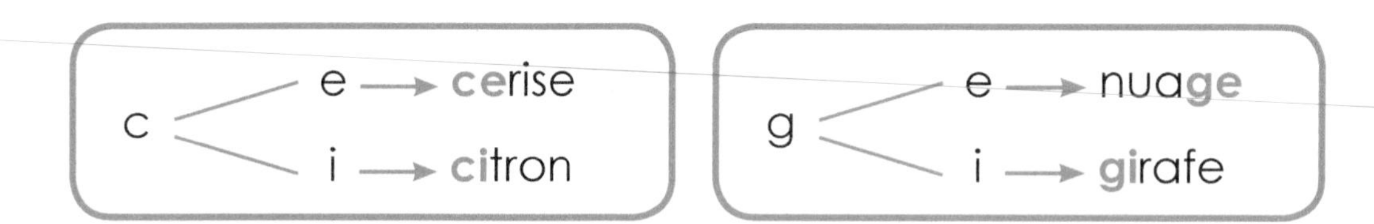

1. Lis les mots.

a) pièce bouge silence dommage page merci

b) féroce rougir bougie décide puce délice

c) mensonge singe rugir ciel police cinéma

d) mange genou orage facile Alice difficile

2. Complète les phrases à l'aide des syllabes de l'encadré. Une syllabe peut servir plus d'une fois.

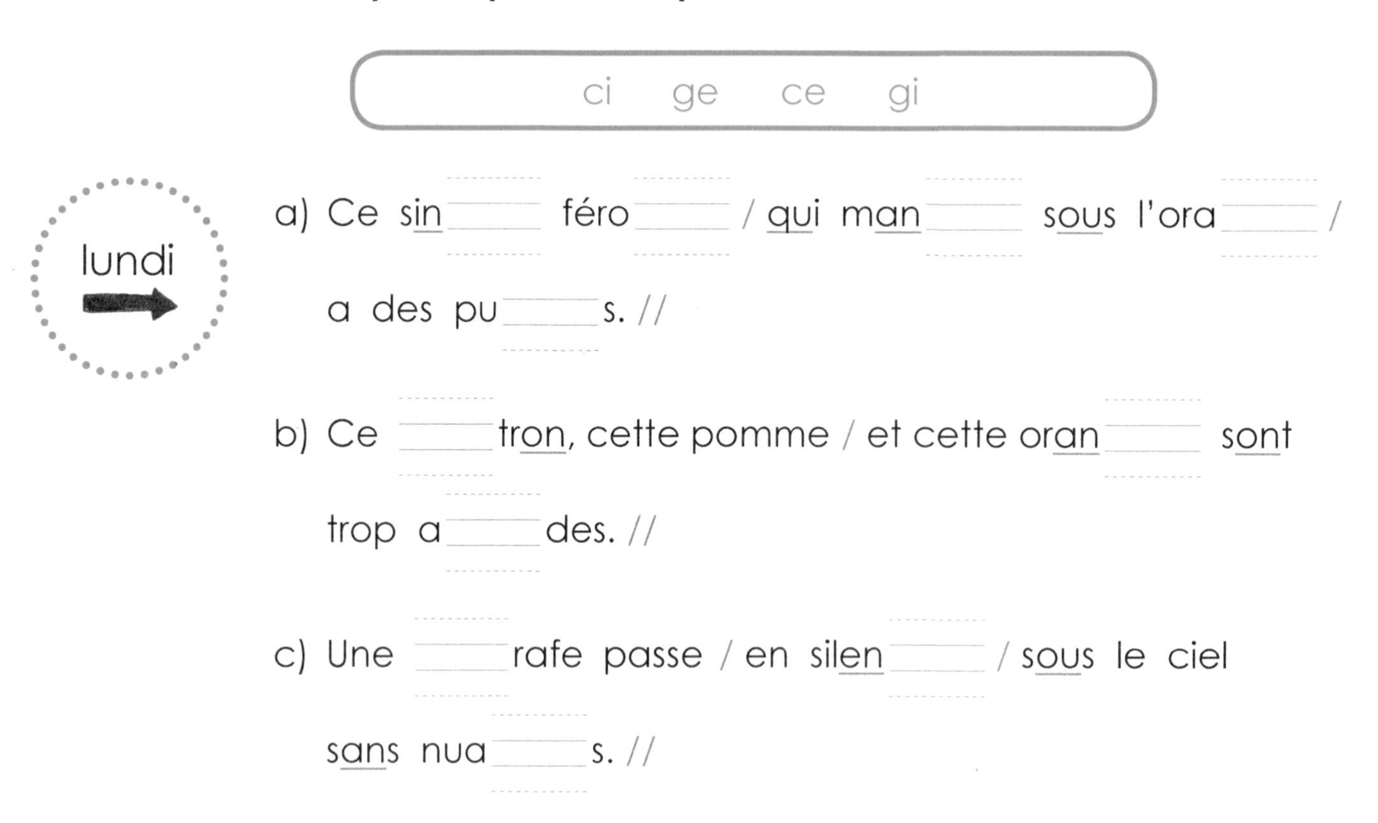

ci ge ce gi

lundi

a) Ce sin____ féro____ / qui man____ sous l'ora____ / a des pu____s. //

b) Ce ____tron, cette pomme / et cette oran____ sont trop a____des. //

c) Une ____rafe passe / en silen____ / sous le ciel sans nua____s. //

Le c dur et le g dur

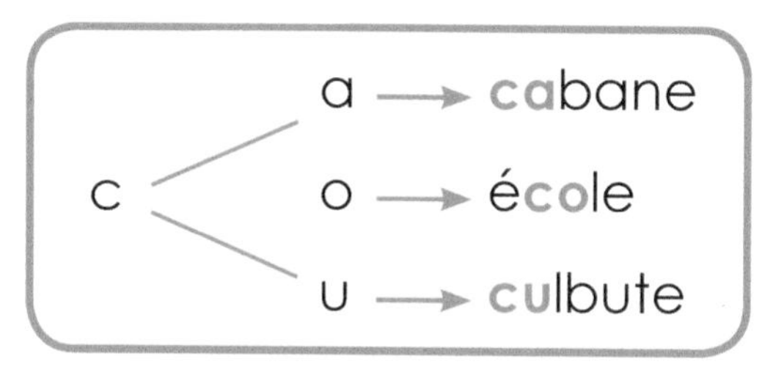

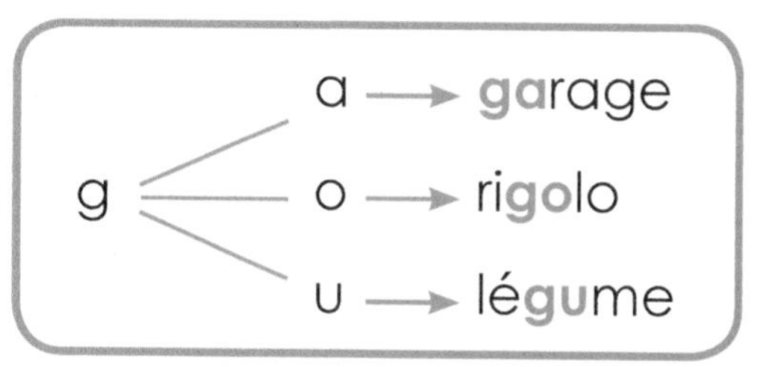

1. Lis les syllabes.

a) ca can go cou gon cun co gran

b) gron cur gour coi coul crou coir cran

c) gla cui cor cal gon gou gru car

d) cur cof ga goi grai croi cui gol

2. Lis les mots.

lun|di

a) coupable dégoutte conduire camarade garderie

b) gronde chacun comédie dégonfle virgule

c) recule carapace rigolade raconte chagrin

3. Complète les phrases en choisissant des syllabes dans l'encadré.

cou ca ga gar co cu go con

a) Le chat re ____ de le ____ nari dans sa ____ ge. //

b) Une ____ leuvre se ____ che / sous la ____ lerie. //

c) Le chasseur dé ____ vre un ____ nard / près de l'é ____ rie. //

Éviter les inversions de lettres

1. Lis les syllabes.

a) bra bar tir tri vur vru dra dar

b) bil bli fla fal pur pru bir bri

c) fra far plu pul cra car gor gro

2. Lis ces mots qui se ressemblent.

page plage	bise brise	plonge planche
grive grave	gamme gramme	classe crasse
dame drame	poudre poutre	croche écorche
branche bronche	flacon flocon	aigle ongle

3. Lis les mots deux par deux. Barre celui qui n'a pas de sens.

propre prope	borche broche	crabe carbe
chèvre chève	darpeau drapeau	brique birque
plage palge	pulme plume	coupable conpable
corne crone	cocodile crocodile	porblème problème

4. Complète les mots avec les syllabes suivantes. Une syllabe peut être utilisée plus d'une fois.

cre vre fre bre dre gle
gre cle fle ble

il ou______	un zè______	mor______
du sa______	une bou______	un on______
une om______	une chè______	elle souf______
un cof______	un o______	une an______

5. Écris la syllabe qui manque.

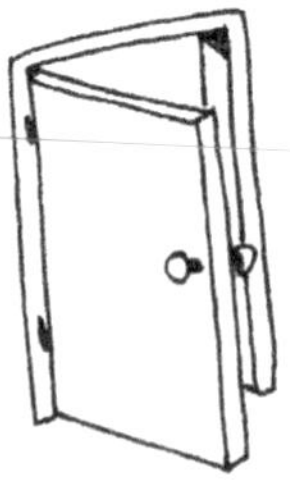 une ____ te	 un ____ dien	 un ____ net
 du ____ mage	 une ____ be	 un ____ fesseur
 une ____ tte	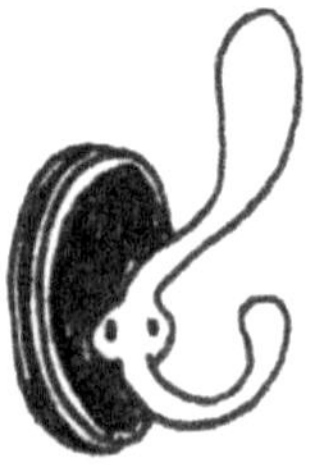 un ____ chet	 un ____ be

6. Dans chaque étiquette, choisis la syllabe qui complète le mot, puis écris-la.

tra tar — a) Je vois la lune et les étoiles, / il est ____ d. //

cro cor — b) J'apporte mes souliers / chez le ____ donnier. //

gro gor — c) Mon chien ____ gne / quand il voit le facteur. //

tra tar — d) L'ours a laissé des ____ ces de pas / sur le sol. //

Lectures répétées

1. Lis le texte, plusieurs fois au besoin.

Le petit train

Le petit train avance dans la campagne. // Il voit la vache qui broute, / le cheval qui galope / et les enfants qui ramassent des fraises. // Puis, / c'est la montagne. // Il ralentit, / car la pente est raide. // Il est tout rouge / et son cœur fait des bonds. // Il a peur de reculer. // Une fois en haut, / il reprend son souffle. //
Sa tête est près des nuages / et il peut dire bonjour aux oiseaux. //

Enfin, / il redescend. // Attention ! // Il ne faut pas aller trop vite ! // Après des heures, / le petit train arrive à la gare. // Tous les passagers sont contents. //

Lecture	1	2	3	4	5
Temps	___ min ___ s	___ min ___ s	___ min ___ s	___ min ___ s	___ min ___ s

Mot de l'orthopédagogue : À chaque lecture, l'élève entoure le numéro correspondant dans la ligne du haut du tableau. Notez en bas le temps qu'il a mis à lire le texte.
Pour celui-ci, l'objectif à atteindre est 2 minutes ou moins.

2. Lis le texte, plusieurs fois au besoin.

Léon le caneton

Maman cane va à la mare / avec ses canetons. // Les petits marchent gentiment / derrière elle. // Seul Léon, / le plus jeune, / est trop curieux / pour suivre le groupe. // Il s'arrête au bord du chemin / pour regarder la fourmi / qui transporte un gros grain de sable. //

Il observe un papillon / qui se pose sur les fleurs sauvages. // Tout est si beau ! //

Quand il regarde enfin sur le chemin, / tout le monde a disparu. // Il est seul / et il a très peur. // Il appelle sa mère, / mais personne ne répond. //

Tout à coup, / le voilà dans les airs. // C'est maman cane / qui l'a pris dans son bec ! // Elle le met sur son dos / et repart vers la mare. //

Lecture	1	2	3	4	5
Temps	___ min ___ s	___ min ___ s	___ min ___ s	___ min ___ s	___ min ___ s

Mot de l'orthopédagogue : À chaque lecture, l'élève entoure le numéro correspondant dans la ligne du haut du tableau. Notez en bas le temps qu'il a mis à lire le texte.
Pour celui-ci, l'objectif à atteindre est 2 minutes 15 secondes ou moins.

Compréhension de lecture

L'imagerie mentale

1. Observe l'image.
Lis chaque phrase, puis coche celle qui décrit le mieux l'image.

a) Il y a une carotte / sur la table. // ☐

b) La marmotte est sur la table. // ☐

c) Il y a une marmotte / dans la cave. // ☐

d) La marmotte mange une carotte. // ☐

2. Lis le texte.
Coche la case de l'image qui correspond le mieux au texte.

Socrate le chat regarde l'oiseau / qui est perché sur la plus haute branche du pommier. // Il n'a pas bougé / depuis dix minutes. // Lucien le chien ne s'occupe pas d'eux. // Il est couché / près de la porte de la maison / en train de ronger son os. //

☐ ☐ ☐

3. Lis le texte.
Coche l'image qui représente le mieux le personnage principal décrit par le texte.

La fête de la souris

Ce soir, / c'est la fête de la souris / qui s'abrite sous un grand parapluie. // Elle a mis sa jolie robe longue, / ses souliers vernis / et son chapeau fleuri. // Les invités lui ont apporté un cadeau : / un chapeau pointu, / une balle, / des fromages emballés dans du papier cadeau / et des petits sacs de blé. //

La souris est heureuse. // Elle saute, / tourne / et danse / sous les étoiles. //

4. Lis le texte.
Coche l'image qui représente le mieux le lieu décrit par le texte.

Le château du roi Éloi

Le château du roi Éloi est à côté d'un bois. // Une jolie rivière coule autour. // Le château du roi Éloi a deux tours. // En haut de la plus haute tour, / un aigle a fait son nid. // Cet aigle a mauvais caractère. // Chaque fois qu'on le met en colère, / il lance des roches / sur les passants. // En haut de la plus basse tour, / un hibou a fait son nid. // Ce hibou a beaucoup d'appétit. // Chaque nuit, / il quitte son nid / pour aller chasser les souris. //

5. **Lis le texte.**
Sur l'image, entoure les animaux qui ne sont pas cachés au bon endroit.

La cachette

Ce matin, / à la ferme, / la poule, / la vache, / le cochon, / le chien / et le chat jouent à la cachette. // La poule est au milieu de la cour, / c'est elle qui compte. // Le chat est caché dans l'arbre. // Le chien est derrière sa niche. // Le cochon est sous le tas de bûches. // La vache est près du tracteur. //

Reconnaître l'ordre chronologique

1. Lis le texte.
Trace en rouge le chemin que suit le prince Ivan en sortant du château.

La promenade du prince

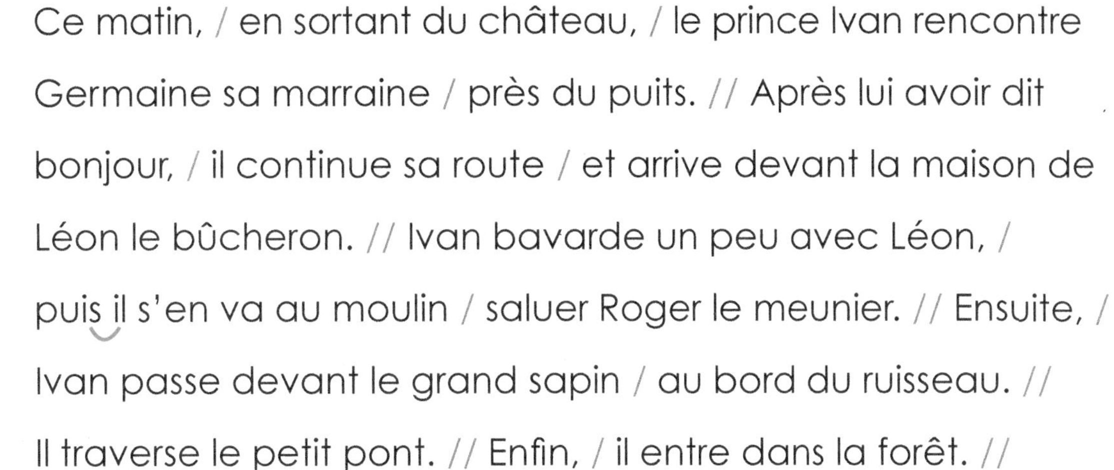

Ce matin, / en sortant du château, / le prince Ivan rencontre Germaine sa marraine / près du puits. // Après lui avoir dit bonjour, / il continue sa route / et arrive devant la maison de Léon le bûcheron. // Ivan bavarde un peu avec Léon, / puis il s'en va au moulin / saluer Roger le meunier. // Ensuite, / Ivan passe devant le grand sapin / au bord du ruisseau. // Il traverse le petit pont. // Enfin, / il entre dans la forêt. //

2. **Lis le texte.**
Numérote les actions de 1 à 3, selon l'ordre de l'histoire.

Arthur au cirque

Aujourd'hui, / Arthur va au cirque / en voiture / avec ses parents. // Là-bas, / il voit des acrobates / qui sautent dans les airs. // Au milieu du spectacle, / son papa lui achète de la barbe à papa. // Ensuite, / il regarde les chiens savants. // Quand le spectacle est terminé, / Arthur retourne à la maison. //

- ☐ Arthur voit les chiens savants. //
- ☐ Arthur mange de la barbe à papa. //
- ☐ Arthur regarde les acrobates. //

3. **Lis le texte.**
Numérote les évènements de 1 à 5, selon l'ordre de l'histoire.

Vive les vacances!

Les vacances ont commencé / il y a quatre jours. // Hier, / nous avons fait un pique-nique. // Aujourd'hui, / il pleut à boire debout, / nous allons au cinéma / voir un film sur les baleines. // Demain, / nous ferons une promenade à bicyclette. // Après-demain, / nous rendrons visite à nos cousins Paul et Paulette. // La semaine prochaine, / nous ferons une promenade en bateau. //

- ☐ Visiter les cousins Paul et Paulette. //
- ☐ Les vacances commencent. //

- [ ] Faire une promenade à bicyclette. //
- [ ] Faire une promenade en bateau. //
- [ ] Aller au cinéma. //

4. Lis le texte.
Numérote les évènements de 1 à 5, selon l'ordre de l'histoire.

Pénélope est malade

Aujourd'hui, / Pénélope est malade. // Elle s'ennuie. // Ce matin, / le médecin est venu. // Après la visite du médecin, / Pénélope voulait lire, / mais elle avait mal à la tête. // Sa mère lui a donné un médicament / et elle s'est endormie. // Quand elle s'est réveillée, / c'était l'heure de dîner. // Elle n'avait pas très faim. // Elle a mangé un tout petit peu de soupe au poulet. // Ensuite, / elle a lu, / puis elle a regardé par la fenêtre / tout l'après-midi. // Enfin, / le soir, / comme elle avait du mal à s'endormir, / sa mère lui a chanté une chanson / comme quand elle était bébé. //

- [ ] Pénélope mange de la soupe au poulet. //
- [ ] Le médecin rend visite à Pénélope. //
- [ ] La mère de Pénélope lui donne un médicament. //
- [ ] La mère de Pénélope lui chante une chanson. //
- [ ] Pénélope regarde par la fenêtre. //

Les inférences : lire entre les lignes

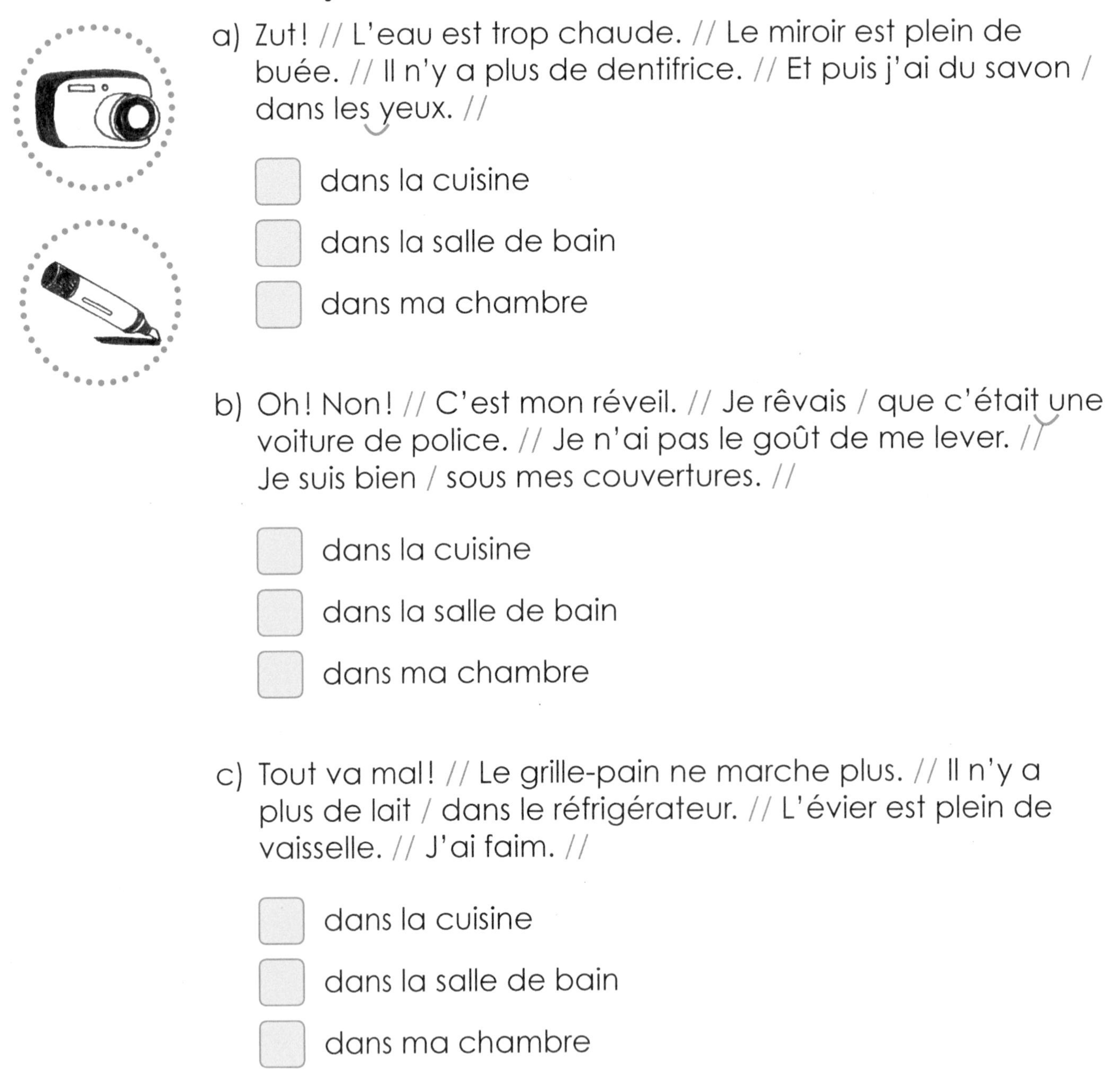

1. Où suis-je ?

a) Zut ! // L'eau est trop chaude. // Le miroir est plein de buée. // Il n'y a plus de dentifrice. // Et puis j'ai du savon / dans les yeux. //

- ☐ dans la cuisine
- ☐ dans la salle de bain
- ☐ dans ma chambre

b) Oh ! Non ! // C'est mon réveil. // Je rêvais / que c'était une voiture de police. // Je n'ai pas le goût de me lever. // Je suis bien / sous mes couvertures. //

- ☐ dans la cuisine
- ☐ dans la salle de bain
- ☐ dans ma chambre

c) Tout va mal ! // Le grille-pain ne marche plus. // Il n'y a plus de lait / dans le réfrigérateur. // L'évier est plein de vaisselle. // J'ai faim. //

- ☐ dans la cuisine
- ☐ dans la salle de bain
- ☐ dans ma chambre

d) Flûte ! // Je ne trouve pas la télécommande de la télévision. // Le chien prend toute la place / sur le canapé. // Maman ne veut jamais que je mange dans cette pièce. //

- dans le salon
- dans le garage
- dans le grenier

e) Aïe ! // Je me suis cogné la tête sur un escabeau ! // Les pneus de la voiture sont à plat. // Il y a des pots de peinture partout. // Qui a laissé la porte ouverte ? // Il y a un raton laveur / dans la poubelle. //

- dans le salon
- dans le garage
- dans le grenier

2. Qui parle ?

a) Je mélange un peu de bave de crapaud / avec du pipi de chat. // Abracadabra ! // Tu es transformé en petit rat. //

- une sorcière
- une policière
- une pianiste

b) Bonjour madame. // Je suis très contente de votre fille. // Elle est très sage en classe. // Elle a fait beaucoup de progrès en français. //

- une couturière
- une infirmière
- une enseignante

c) Aujourd'hui, / j'ai préparé, / pour cinquante personnes, / une soupe au brocoli, / des raviolis au céleri / et des tartes aux kiwis. //

- [ ] une coiffeuse
- [ ] une cuisinière
- [ ] une chanteuse

d) Je vous donnerai la moitié de mon royaume, / mon château, / ma couronne / et même mon trône, / si vous arrêtez de pleurnicher. //

- [ ] un jardinier
- [ ] un roi
- [ ] un berger

e) Bonjour madame. // Ouvrez la bouche. // Dites aaah! // Oh! // Vous avez la gorge toute rouge. // Prenez cet antibiotique / pendant dix jours / et buvez beaucoup d'eau. //

- [ ] un médecin
- [ ] un garagiste
- [ ] un facteur

3. Monsieur Paul a passé une mauvaise semaine. Entoure le moment de la journée où chaque évènement a eu lieu.

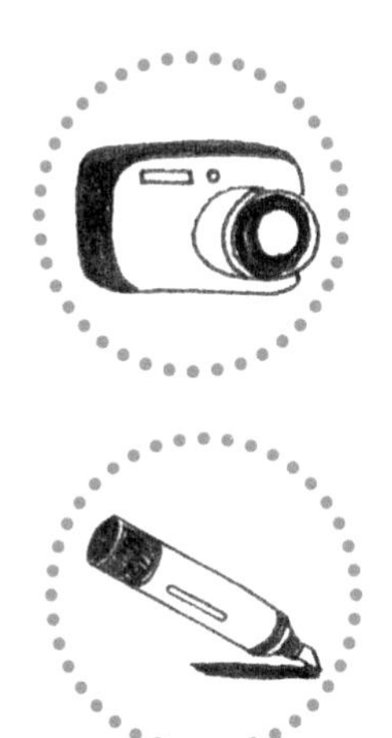

a) Lundi, / monsieur Paul est allé se coucher / vers minuit. // Mais quand il s'est glissé dans son lit, / une petite souris lui a mordu le pied. //

le matin l'après-midi le soir la nuit

b) Mardi, / après le dîner, / monsieur Paul a été blessé. // Il a reçu un coup de patte de son cheval. //

le matin l'après-midi le soir la nuit

c) Mercredi, / monsieur Paul est parti travailler / après le déjeuner. // Tout à coup, / il est tombé / dans un gros tas de fumier. //

le matin l'après-midi le soir la nuit

d) Jeudi, / monsieur Paul était encore tout endormi / quand le soleil s'est levé. // Il avait mal aux pieds. // Il a renversé son café / et brûlé ses rôties. //

le matin l'après-midi le soir la nuit

e) Vendredi, / monsieur Paul regardait le soleil se coucher. // Il a voulu jouer du violon, / mais toutes les cordes de son violon étaient cassées. //

le matin l'après-midi le soir la nuit

4. Coche ce que Max ressent dans chaque texte.

a) Aujourd'hui, / c'est l'anniversaire de Max. // Il est tout seul. // Son père est à la pêche, / sa mère au cinéma. // Personne ne lui fera de gâteau. // Personne ne lui apportera de cadeaux. //

☐ de la tristesse ☐ de la joie ☐ du courage

b) Le soir tombe. // Le vent souffle, / le tonnerre gronde, / des éclairs déchirent le ciel. // Max est caché sous son lit. // Il tremble comme une feuille. //

☐ de la joie ☐ de la peur ☐ de la colère

c) La tempête se calme enfin. // Max entend du bruit / dans le salon. // Il va voir. // Quel désastre ! // Il y a de la confiture sur le canapé. // Le plancher est couvert de trognons de pommes. // Encore un coup des ratons laveurs ! // Il va falloir tout ranger, / maintenant ! //

☐ de la tristesse ☐ de la colère ☐ du courage

d) Soudain, / Max voit un énorme ours brun / par la fenêtre. // Max s'approche, / fait des grimaces, / bombe le torse / et tire la langue. // L'ours s'enfuit. //

☐ de la joie ☐ de la peur ☐ du courage

e) Tout à coup, / on frappe à la porte. // Max ouvre la porte. // Ses parents et ses amis sont là / et crient : / « Bon anniversaire ! // Bon anniversaire ! » // Max se met à sauter / et à crier lui aussi. //

☐ de la tristesse ☐ de la joie ☐ de la colère

5. Lis le texte.
Réponds aux questions en cochant la case qui convient et en complétant la phrase.

Bérengère perd tout

Bérengère perd toujours tout ! // Lundi, / quand les élèves arrivent dans la classe, / madame Sylvie leur demande leur devoir. // Bérengère cherche dans son sac et cherche encore. // Rien ! // Pas de devoir ! // Madame Sylvie n'est pas contente du tout ! // Le lendemain, / Bérengère va chez son amie Mathilde / en bicyclette. // Mais quand elle veut / rentrer chez elle, / elle ne trouve plus la clé de son cadenas. // Elle cherche dans ses poches et cherche encore. // Rien ! // Pas de clé ! // Elle s'assoit sur le trottoir / et se met à pleurer. // À ce moment-là, / Mathilde sort de la maison / et lui dit : / « Je crois que tu as perdu ceci ! » // Et Bérengère lui saute au cou. //

a) Qu'est-ce que Bérengère a perdu lundi ?

☐ Le texte le dit clairement, / elle a perdu ______________________.

☐ Le texte ne le dit pas clairement, / mais je comprends qu'elle a perdu ______________________.

b) Quel est le métier de madame Sylvie ?

☐ Le texte le dit clairement, / madame Sylvie est ______________________.

☐ Le texte ne le dit pas clairement, / mais je comprends qu'elle est ______________________.

c) Quel jour de la semaine Bérengère est-elle allée chez Mathilde ?

☐ Le texte le dit clairement, / elle y est allée ______________________.

☐ Le texte ne le dit pas clairement, / mais je comprends qu'elle y est allée ______________________.

d) Qu'est-ce que Bérengère a perdu chez Mathilde ?

☐ Le texte le dit clairement, /elle a perdu ______________________.

☐ Le texte ne le dit pas clairement, / mais je comprends qu'elle a perdu ______________________.

e) Qui a retrouvé la clé du cadenas ?

☐ Le texte le dit clairement, / c'est ______________________.

☐ Le texte ne le dit pas clairement, / mais je comprends que c'est ______________________.

Comprendre les mots interrogatifs

Quand? Où? Qui? Qu'est-ce qui? Qu'est-ce que?
Pourquoi? Comment? Combien? Est-ce que?

Mot interrogatif	Ce qu'il faut chercher	Exemples
Quand?	un moment (un temps)	hier matin, samedi, dans un mois, il y a 4 heures

La partie du texte qui t'aide à trouver la réponse est surlignée.

C'est le lendemain de l'Halloween. // Ali n'est pas à l'école. // Il doit rester au lit / parce qu'il a mangé trop de bonbons. //

Quand cette histoire se déroule-t-elle? //

Cherche un moment.

Mot interrogatif	Ce qu'il faut chercher	Exemples
Où?	un lieu (un endroit)	dans le tiroir, sous la table, à l'école, derrière la maison

La partie du texte qui t'aide à trouver la réponse est surlignée.

La tortue de mer creuse un grand trou dans le sable. // Elle pond une centaine d'œufs, / les recouvre de sable, / puis elle retourne à la mer. //

Où la tortue de mer pond-elle ses œufs? //

Cherche un endroit.

Mot interrogatif	Ce qu'il faut chercher	Exemples
Qui ?	une personne ou un animal	le facteur, Mario, le chien

La partie du texte qui t'aide à trouver la réponse est surlignée.

Jules le poisson rouge tourne dans son bocal. // Le chat de Mélanie s'approche / et il trempe sa patte dans l'eau. // « Va-t'en, crie Mélanie, / ne touche pas à Jules ! » // Le chat s'éloigne, / la tête basse. //

Cherche une personne.

Qui a sauvé la vie du poisson ? //

Mot interrogatif	Ce qu'il faut chercher
Qu'est-ce qui ? Qu'est-ce que ?	quoi

La partie du texte qui t'aide à trouver la réponse est surlignée.

Christophe lit une histoire dans son lit / avant de s'endormir. // Tout à coup, / il sursaute. // Il vient d'entendre un léger grattement / dans le mur / et il a peur. //

Cherche quoi.

Qu'est-ce qui fait peur à Christophe ? //

Mot interrogatif	Ce qu'il faut chercher
Pourquoi ?	la raison, la cause

La partie du texte qui t'aide à trouver la réponse est surlignée.

Fatima se lève / et s'habille en vitesse, / car elle ne veut pas être en retard / à l'école. // Elle regarde par la fenêtre / et voit un épais tapis de neige blanche. // Au même moment, / sa mère entre dans sa chambre / et lui dit : // «Il n'y a pas d'école aujourd'hui. // Il est tombé 40 cm de neige.» //

Cherche une raison.

Pourquoi Fatima n'ira-t-elle pas à l'école ?

Parce que

Mot interrogatif	Ce qu'il faut chercher
Comment ?	la manière

La partie du texte qui t'aide à trouver la réponse est surlignée.

À la maison, / nous avons un joli canari qui chante / tous les matins / dans sa cage. // Aujourd'hui, / quelqu'un a oublié de refermer la porte de sa cage / et il s'est envolé par la fenêtre ouverte. //

Cherche une manière.

Comment le canari est-il sorti de la maison ? //

Mot interrogatif	Ce qu'il faut chercher
Combien ?	un nombre, une quantité

La partie du texte qui t'aide à trouver la réponse est surlignée.

Ce soir, / il y a une grande réunion de sorcières. // Tout le monde arrive à l'heure, / sauf Manou / qui ne trouve plus son balai, / et Bianca / qui met trop de temps à s'habiller. //

Cherche un nombre.

Combien de sorcières sont arrivées en retard à la réunion ? //

Mot interrogatif	Ce qu'il faut chercher
Est-ce que ?	Si l'on répond «oui» ou «non».

La partie du texte qui t'aide à trouver la réponse est surlignée.

Les dinosaures vivaient il y a des millions d'années. // Maintenant, / ils ont disparu. //

Cherche si tu dois répondre «oui» ou «non».

Est-ce que les dinosaures existent encore ? //

1. **Entoure le mot interrogatif qui correspond à chaque groupe de mots surlignés.**

a) Le bébé kangourou est minuscule / quand il vient au monde. // C'est dans la poche ventrale de sa mère / qu'il continue de se développer. //

Quand ? Où ? Comment ?

b) Ce matin, / Gabriel est affamé. // Il avale son bol de céréales, / un œuf, / deux rôties / et un grand verre de lait. //

Qui ? Comment ? Qu'est-ce que ?

c) Maria prend des cours de violon. // Ce soir, / elle est très nerveuse / parce qu'elle doit jouer / devant tous les élèves de l'école et leurs parents. //

Pourquoi ? Comment ? Est-ce que ?

d) Alex ne range jamais ses vêtements. // Ce matin, / il cherche ses souliers. // Il les trouve finalement / sous le sofa. //

Quand ? Où ? Pourquoi ?

e) Alain participe à des compétitions de natation. // Cette fin de semaine, / il a très bien nagé / et il a reçu la médaille d'or. //

Qui ? Qu'est-ce que ? Pourquoi ?

Répondre à des questions à propos d'un texte

1. Lis le texte.
Réponds aux questions.

Les poules

Élise la poule grise a pondu son œuf / dans l'église. // Victoire la poule noire a pondu son œuf / dans l'armoire. // Prune la poule brune a pondu son œuf / sur la Lune. // Pervenche la poule blanche a pondu son œuf / sur la planche. // Frousse la poule rousse a pondu son œuf / sous la mousse. //

Cherche un animal.

a) **Qui** a pondu son œuf dans l'église ?

b) Où Prune a-t-elle pondu son œuf ?

c) Écris le nom de ces trois poules.

2. Lis le texte.
Colorie les trois œufs dont on parle dans le texte.
Réponds aux questions.

J'ai trouvé un bel œuf bleu, /
Bleu comme la rivière, / bleu comme le ciel. //
Le lapin l'avait caché / dans l'herbe du pré. //

J'ai trouvé un bel œuf jaune, /
Jaune comme l'or, / jaune comme un canari. //
Le lapin l'avait caché / derrière un pommier. //

J'ai trouvé un bel œuf blanc, /
Blanc comme la neige, / blanc comme le muguet. //
Il était au poulailler, / alors moi, / je l'ai mangé. //

Cherche une couleur.

a) Les canaris sont des petits oiseaux. **De quelle** couleur sont-ils ?

b) Le muguet est une sorte de fleur. De quelle couleur est-il ?

c) Qui a caché l'œuf bleu et l'œuf jaune ?

3. Lis le texte.
Réponds aux questions.

Mon zoo

Mes parents travaillent dans un zoo. // Dans le zoo, / il y a quatre grandes cages. // Un éléphant gris habite dans la cage jaune. // Quand il entend de la musique, / il danse. // Les deux kangourous jaunes / qui sont dans la cage rouge / passent leurs journées à sauter. // Dans la cage verte, / il y a trois ours bruns : / le père, / la mère / et leur ourson. // L'ourson est mon préféré. //

Dans la grande cage bleue, / il y a deux perroquets verts / et deux perroquets jaunes. // Je leur apprends à parler. // Les perroquets jaunes ne veulent rien apprendre / et préfèrent jouer. // Les perroquets verts savent dire «Bonjour», / «Au revoir», / «Merci» / et «Du pain, s'il vous plaît». //

Cherche quoi.

a) **Que** fait l'éléphant quand il entend de la musique ?

____

____

b) Quels animaux sautent toute la journée ?

____

____

c) Est-ce que les perroquets jaunes savent parler ? Explique.

____

____

____

4. Lis le texte.
Réponds aux questions.

Les vaches de monsieur Paul

Monsieur Paul a trois vaches. // Une brune, / une noire / et une blanche. // Il les a achetées / au printemps, / dans un village qui s'appelle Saint-Isidore. // Monsieur Paul les aime beaucoup, / parce qu'elles sont belles, / douces / et qu'elles lui donnent du lait frais / tous les matins. // Ses vaches s'appellent Paulette, / Lisette / et Babette. // Ce matin, / Paulette est restée dans l'étable. // Babette est dans le champ, / elle mange du trèfle. //

a) **Où** monsieur Paul a-t-il acheté ses vaches ?

Cherche un endroit.

---

b) Quand monsieur Paul a-t-il acheté ses vaches ?

---

c) Comment s'appelle la vache qui regarde passer le train ?

5. Lis le texte.

Le message

Un soleil rouge se couche à l'horizon. // Émile se promène en ramassant des coquillages. // Au bout d'un moment, / fatigué, / il s'assoit sur le sable. // Il regarde le ciel / en comptant les nuages. // Il y en a trois tout blancs / qui passent lentement. // Le premier ressemble à un mouton, / le deuxième ressemble à un dragon, / le troisième ressemble à un poisson. // Tout à coup, / une vague lui chatouille doucement les pieds. // Elle apporte avec elle une bouteille. // Il y a un message à l'intérieur. //

a) Numérote les évènements de 1 à 3, selon l'ordre de l'histoire.

- ☐ Une vague dépose une bouteille / aux pieds d'Émile. //
- ☐ Émile compte les nuages. //
- ☐ Émile ramasse des coquillages. //

b) Lis ce que l'on dit à propos de l'histoire. Coche la case «vrai» ou la case «faux».

	VRAI	FAUX
L'histoire se passe la nuit. //	☐	☐
Le temps est à l'orage. //	☐	☐
Émile s'assoit parce qu'il est fatigué. //	☐	☐
Émile voit des nuages / qui ressemblent à des animaux. //	☐	☐
Une vache chatouille les pieds d'Émile. //	☐	☐

6. Lis le texte.
Réponds aux questions.

La mouffette

La mouffette vit en Amérique du Nord. // C'est un petit animal noir, / avec une bande blanche sur le dos. // Elle a une petite tête / et une grosse queue. //

La mouffette dort le jour. // Le soir, / elle cherche de la nourriture. // Elle mange des petits animaux, / des fruits / et des plantes. //

La mouffette a peur de tout. // Quand elle croit qu'elle est en danger, / elle se défend / en envoyant un liquide / qui sent tellement mauvais / que personne n'ose l'approcher. // La mouffette n'a qu'un seul ennemi : / le grand duc, / une espèce de hibou / qui n'est pas dérangé par l'odeur. //

Si vous êtes arrosé par une mouffette, / la seule façon de vous débarrasser de cette épouvantable odeur est de prendre un bain de jus de tomate. //

a) Donne quatre caractéristiques physiques d'une mouffette.

b) À quel moment de la journée la mouffette mange-t-elle des fruits ?

c) Comment la mouffette se défend-elle quand elle a peur ?

d) Est-ce que la mouffette a beaucoup d'ennemis ? Explique.

e) Lis ce que l'on dit à propos de la mouffette. Coche la case « vrai » ou la case « faux ». Écris à chaque fois les mots du texte qui t'ont permis de répondre.

La mouffette mange des pommes. // VRAI FAUX

La mouffette est très courageuse. // VRAI FAUX

Il faut boire un verre de jus de tomate / si l'on se fait arroser par une mouffette. // VRAI FAUX

**7. Lis le texte.
Réponds aux questions.**

Albertine et le crapaud

Albertine s'ennuie. // Comme d'habitude, / elle est toute seule. // Il faut dire qu'Albertine n'a pas d'amis / parce qu'elle est très très timide. //

Ce matin, / elle joue avec sa balle rouge / près du lac. // Soudain, / la balle rebondit / et tombe à l'eau. // Albertine est triste. // À ce moment-là, / un crapaud sort de l'eau / et lui dit : /

— Ne sois pas triste, / Albertine, / je vais te rapporter ta balle. // Mais pour me remercier, / tu devras m'embrasser sur le nez / et m'emmener partout avec toi. //

Quand le crapaud lui rapporte sa balle, / Albertine la reprend / et rentre chez elle en courant. // Le crapaud est très triste, / il se met à pleurer. //

Entendant ses pleurs, / Albertine revient près du lac / et prend le crapaud dans ses mains. // Elle le trouve très laid / et dégoûtant, / mais elle le met dans sa poche / et l'emporte avec elle. //

Après quelques semaines, / Albertine s'habitue au crapaud. // Ensemble, / ils jouent / et ils deviennent de grands amis. //

— Tu es le meilleur crapaud du monde ! // On restera toujours amis ! // lui dit-elle un jour. // Et elle l'embrasse sur le nez. //

Aussitôt, / le crapaud se transforme en garçon. // Car ce pauvre animal était en réalité un garçon / qui avait été ensorcelé par une sorcière. // Une petite fille devait devenir son amie / et l'embrasser sur le nez / pour qu'il redevienne lui-même. //

Cherche un endroit.

a) **Où** se passe cette histoire ?

b) Pourquoi Albertine n'a pas d'amis ?

c) Pourquoi Albertine est-elle triste ?

d) Que fait Albertine quand le crapaud lui rapporte sa balle ?

e) Numérote les évènements de 1 à 4 dans l'ordre de l'histoire.

- ☐ Albertine et le crapaud deviennent amis. //
- ☐ Le crapaud rapporte la balle à Albertine. //
- ☐ Le crapaud se transforme en garçon. //
- ☐ Albertine court chez / elle sans emporter le crapaud avec elle. //

f) Que doit-il se passer pour que le crapaud redevienne un garçon ?

**8. Lis le texte.
Réponds aux questions.**

Le dragon

Le dragon est un animal terrible. // Il a une peau de serpent / et de grandes ailes. // Son dos est couvert d'épines. // Ses pattes se terminent par d'énormes griffes. //

Le dragon vit caché dans des grottes, / sous la terre / ou au fond de l'eau. // Il est capable de marcher, / de voler / et de nager. //

Quand il est en colère, / il crache du feu / et brûle tout sur son passage. // Le dragon ne dort jamais. // S'il garde un trésor, / personne ne peut le lui voler, / car il voit tout / et entend tout. // En plus, / il est très intelligent. //

Le dragon mange des princesses, / des chevaliers, / des bergers / et des moutons. //

Est-ce qu'il existe vraiment ? // Tout le monde pense que non. //

a) **Où** vit le dragon ?

---

b) De quelles façons un dragon se déplace-t-il ?

c) Quand un dragon crache-t-il du feu ?

d) Pourquoi est-ce difficile de voler un trésor gardé par un dragon ?

e) Que mange un dragon ?

f) À ton avis, est-ce que le dragon existe ?

ÉCRITURE

Le mot de l'orthopédagogue

L'élève qui écrit un texte, si court soit-il, prouve qu'il possède des connaissances langagières aussi bien à l'oral qu'à l'écrit. Dans cette section, nous l'aidons à structurer et à développer ses connaissances.

La grammaire

L'élève reconnaît les principales classes de mots — le déterminant, le nom et le verbe — et le rôle qu'elles jouent dans le langage.

L'orthographe

Il est très difficile pour certains élèves de 1re année de bien orthographier les mots. Nous leur suggérons une démarche pour surmonter les difficultés :

1. Apprendre à bien identifier et à reproduire dans l'ordre tous les sons qui composent un mot.
2. Développer des stratégies pour mémoriser les nombreuses difficultés de l'orthographe française, entre autres les différentes graphies d'un même son (**o**, **au**, **eau**), les lettres jumelées (ba**tt**re, be**ll**e, gro**ss**e) et les lettres muettes (cha**t**, souri**s**, canar**d**).

La rédaction de phrases

L'élève s'habitue à introduire dans des phrases les éléments essentiels (Qui? Fait quoi?), puis les informations supplémentaires qui peuvent l'enrichir (Quand? Où?).

La rédaction de textes

Cette dernière étape présente de nombreuses difficultés. C'est une activité complexe que l'élève perfectionnera avec les années. À cette étape, nous le guidons et lui présentons des modèles pour l'aider à structurer ses apprentissages.

Grammaire

Le nom

Pour bien se faire comprendre, on a besoin des noms. Les noms désignent des objets, des personnes, des animaux ou des sentiments.

1. Classe les noms de l'encadré dans la bonne catégorie.

chien amour facteur pupitre élève colère
tristesse poule voiture koala cousin couteau

Objets	Personnes

Animaux	Sentiments

Les déterminants

Devant les noms, on met un petit mot qu'on appelle un déterminant. Ceux qu'on utilise le plus souvent sont : **le, la, l', les, un, une, des, du, mon, ma, mes.**

1. Entoure les déterminants placés devant les noms en gras.

Ma **mère** lit le **menu**. // Elle choisit une **salade**. // Je demande à la **serveuse** un **macaroni** à la **viande**. // Mon **frère** veut une **soupe** et un **sandwich**. // Mon **père** mangera du **poulet**, / des **frites** / et des **légumes**. // Pour terminer, / chacun prend du **gâteau** à l'**érable**. //

À la **fin** du **repas**, / la **serveuse** apporte l'**addition**. // Mes **parents** paient / pendant que je mets mon **manteau**, / ma **tuque** / et mes **mitaines**. // Nous rentrons à la **maison** / où le **chien** Kiko nous attend. //

Le féminin et le masculin

Un nom est féminin si on peut écrire **une** ou **la** devant.
Exemple : ~~le~~ maison ⟶ **la** maison
Le nom «maison» est **féminin.**

Un nom est masculin si on peut écrire **un** ou **le** devant.
Exemple : ~~une~~ camion ⟶ **un** camion
Le nom «camion» est **masculin.**

1. Écris le ou la devant les noms.
Écris dans les cases si le mot est féminin (F) ou masculin (M).

a) ______ lion ☐
b) ______ chatte ☐
c) ______ boîte ☐
d) ______ pompier ☐
e) ______ famille ☐
f) ______ cage ☐
g) ______ crocodile ☐
h) ______ campagne ☐

2. Écris un ou une devant les noms.
Écris dans les cases si le mot est féminin (F) ou masculin (M).

a) ______ salade ☐
b) ______ calendrier ☐
c) ______ jouet ☐
d) ______ mouchoir ☐
e) ______ pharmacie ☐
f) ______ chemise ☐
g) ______ concombre ☐
h) ______ fenêtre ☐

Le singulier et le pluriel

un **s**eul → **s**ingulier Déterminants singuliers : **un, une, la, le, l', du**	**plu**sieurs → **plu**riel Déterminants pluriels : **des, les**
Lorsqu'un nom est au pluriel, en général, on lui ajoute un **s** ou un **x**.	

1. Écris dans les cases si le nom est singulier (S) ou pluriel (P).

a) une mouffette ☐
b) des patin**s** ☐
c) les hibou**x** ☐
d) du gazon ☐
e) des raquette**s** ☐
f) la baleine ☐
g) des oiseau**x** ☐
h) l'escalier ☐

2. Sous chaque image, écris les mots qui conviennent.

un requin	un koala	l'orange	l'arbre	une dent
des requin**s**	les koala**s**	les orange**s**	les arbre**s**	des dent**s**
le bouton	la goutte	la fourmi	un mouchoir	
les bouton**s**	les goutte**s**	les fourmi**s**	les mouchoir**s**	

Les pronoms

Il et **elle** sont des pronoms. Ils remplacent des noms.
Il remplace un nom **masculin**.
Elle remplace un nom **féminin**.

1. Pour chaque phrase, écris le nom qui est remplacé par il ou elle.

a) Mon père va à la pêche. // **Il** apporte sa canne à pêche / et des vers. // ____________

b) Marianne est une bonne élève. // **Elle** fait toujours ses devoirs. // ____________

c) Xavier fait du bricolage. // **Il** prépare un cadeau pour sa mère. // ____________

2. Complète chaque phrase par il ou elle.

a) **Le vent** souffle fort. // ______ a emporté les feuilles mortes. //

b) Je mange **une bonne pomme**. // ______ est rouge et juteuse. //

c) **Une guêpe** me tourne autour. // ______ veut me piquer. //

Le verbe

Le verbe est le mot qui dit **ce que fait** la personne, l'animal ou la chose dont on parle dans la phrase.

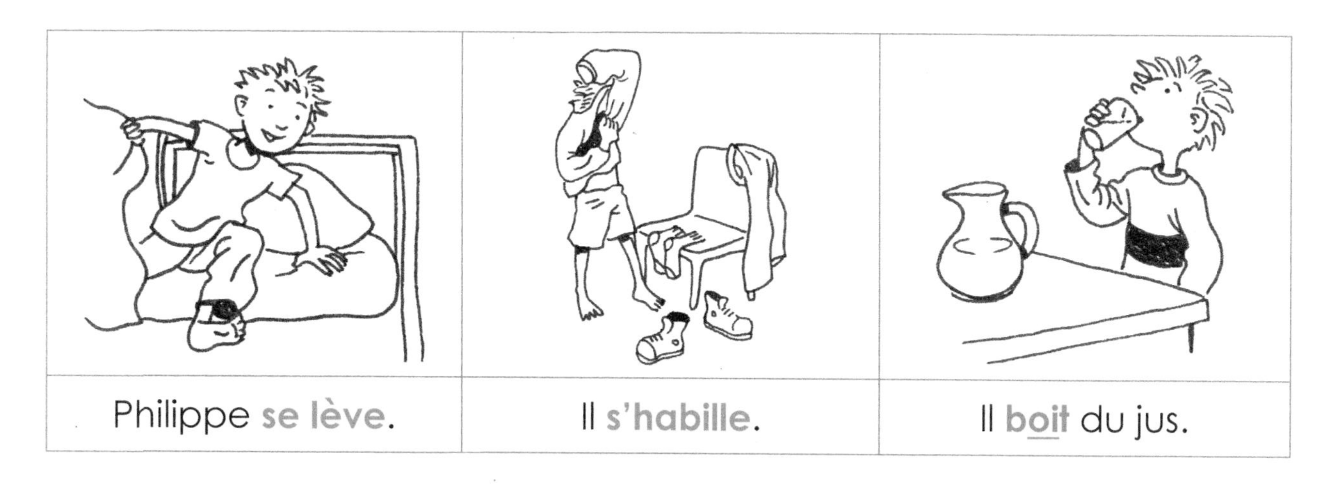

Philippe **se lève**.	Il **s'habille**.	Il **boit** du jus.

1. Dans chaque phrase, écris le verbe de l'encadré qui convient.

invite brille court chasse rêve se déguise

a) Marie ______________ / en sorcière. //

b) L'étoile ______________ / dans le ciel. //

c) La nuit, / je ______________ souvent. //

d) La lionne ______________ / pour nourrir ses petits. //

e) L'autruche ______________ très vite. //

f) Paul ______________ ses amis. //

Orthographe

Stratégies pour éviter les oublis ou les confusions de lettres

Mot à mémoriser : **arbre**

1. Je regarde le mot.

2. Je lis lentement le mot en prononçant toutes les lettres une à une.

3. Je coupe le mot en syllabes.
   ar / bre

4. Je trouve les difficultés que le mot contient et je les surligne.
   arbre

5. J'épelle le mot plusieurs fois, une syllabe à la fois. Je prends une photo du mot dans ma tête.

6. Je cache le mot, je l'épelle lentement en revoyant les lettres dans ma tête.

   ar / bre
   ↓ ↓
   (a-r) (b-r-e)

Mot de l'orthopédagogue : Dans ce mot, il est facile d'oublier les deux **r** ou de ne pas écrire les lettres dans le bon ordre : abre, arbe, rabre, arber, etc. Certains élèves peuvent confondre les lettres **b** et **d**. Il convient alors d'attirer leur attention sur le **b** et, au besoin, de conserver près de soi la carte-son du **b**.

7. Si je l'ai épelé correctement, je l'écris en le prononçant lentement.

8. Je me corrige. Si j'ai fait une erreur, je l'indique de façon très évidente.

~~arbe~~ → arbre

9. Je refais l'exercice jusqu'à ce que je puisse écrire facilement ce mot sans erreur.

J'ai utilisé mes yeux, ma bouche, mes oreilles et des connaissances que je possédais déjà (sons, syllabes, signification du mot), et j'ai épelé le mot.

Liste de mots à connaître avec lesquels on peut appliquer ces stratégies			
octobre	avril	une branche	un frère
une étoile	un monstre	une armoire	une carte
grande	froide	écrire	dormir
du brocoli	une tarte	un pupitre	une règle
du fromage	grise	un zèbre	une tortue

Mot de l'orthopédagogue : Dire le mot en l'écrivant permet de prendre conscience de toutes les lettres qui le composent et de l'ordre dans lequel on les entend.

Stratégies pour mémoriser les mots contenant des difficultés orthographiques

Mot à mémoriser : **enfant**

1. Je regarde le mot.

2. Je lis lentement le mot en prononçant toutes les lettres et tous les sons formés de plusieurs lettres. Attention à la lettre muette.

3. Je coupe le mot en syllabes.
   en / fant

4. Je trouve les difficultés que le mot contient et je les surligne.
   enfan t

5. J'épelle le mot plusieurs fois, une syllabe à la fois. Je prends une photo du mot dans ma tête.

6. Je cache le mot, je l'épelle lentement en revoyant les lettres dans ma tête.

   en / fant
   ↓ ↓
   (e-n) (f-a-n-t)

Mot de l'orthopédagogue : Dans ce mot, il y a deux façons d'écrire le son **an** et la présence d'une lettre muette.
Certains élèves, peuvent confondre les lettres **f** et **v**. Il convient alors de porter son attention sur le **f** et, au besoin, de conserver près de soi la carte-son du **f**.

7. Si je l'ai épelé correctement, je l'écris en le prononçant lentement.

8. Je me corrige. Si j'ai fait une erreur, je l'indique de façon très évidente.

   ~~anfent~~ → **enfant**

9. Je refais l'exercice jusqu'à ce que je puisse écrire facilement ce mot sans erreur.

J'ai utilisé mes yeux, ma bouche, mes oreilles et des connaissances que je possédais déjà (sons, syllabes, signification du mot), et j'ai épelé le mot.

Liste de mots à connaître avec lesquels on peut appliquer ces stratégies			
une sœur	une cerise	un hibou	un écureuil
jamais	classe	du raisin	une chambre
novembre	toujours	souvent	le soleil
combien	une maison	un train	beaucoup
après	du chocolat	une carotte	le nez

Mot de l'orthopédagogue : Dire le mot en l'écrivant permet de prendre conscience de toutes les lettres qui le composent et de l'ordre dans lequel on les entend.

Rédaction de phrases

Qu'est-ce qu'une phrase?

Une phrase est une suite de mots qui a un sens.
Une phrase commence toujours par **une majuscule** et se termine par **un point**.

Qui? **Fait quoi?**

Exemple : Sophie **met son manteau et sa tuque**.

1. Souligne en noir les mots qui répondent à la question «Qui?».

a) L'éléphant aspire de l'eau / avec sa trompe. //

b) Le chauffeur de l'autobus s'arrête / au feu rouge. //

c) La grosse vague soulève le bateau. //

d) Mon ami Jules suit des cours de karaté. //

e) La Terre tourne / autour du Soleil. //

f) Nathalie observe les oiseaux. //

g) Le chat dort / sur le sofa. //

2. Dans les phrases de l'exercice 1, souligne en bleu les mots qui répondent à la question «Fait quoi?».

3. Relie les groupes de mots de la colonne de gauche à ceux de la colonne de droite pour former des phrases qui ont un sens.

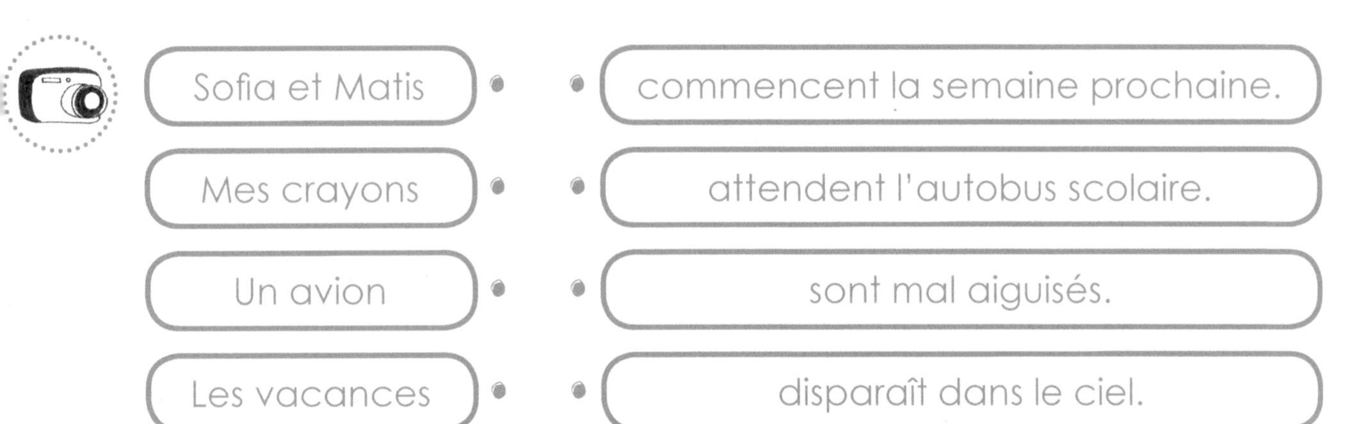

Sofia et Matis	commencent la semaine prochaine.
Mes crayons	attendent l'autobus scolaire.
Un avion	sont mal aiguisés.
Les vacances	disparaît dans le ciel.

4. Remets les mots en ordre pour former des phrases. Attention! Il y a des mots en trop.

a) raconte mange sa histoire une fille. à Maman

Qui? Fait quoi?

b) baleine dans La la plonge mer. sable

Qui? Fait quoi?

c) au petite dort tortue soleil. voiture La

Qui? Fait quoi?

d) canot. font Isabelle du Sonia et table

Qui? Fait quoi?

Enrichir des phrases

On peut enrichir des phrases en ajoutant un groupe de mots qui indique **où** se passe l'action.

Exemples :
1. **Dans son jardin**, la voisine plante des tomates.
2. La voisine plante des tomates **dans son jardin.**

1. Choisis un groupe de mots pour compléter chaque phrase. N'oublie pas de mettre une majuscule au début des phrases.

Au bord de la rivière	sur le sapin	à la bibliothèque
devant la maison	dans le jardin	dans le sous-sol
dans la cour de l'école		

a) Les élèves jouent au ballon-chasseur ______________________ .

b) Martin construit une cabane ______________________ .

c) Lulu installe des lumières de Noël ______________________ .

d) ______________________, Timothée cherche des grenouilles.

e) ______________________, Marguerite joue de la guitare.

f) ______________________, Félicien joue avec son cousin.

On peut enrichir des phrases en ajoutant un groupe de mots qui indique **quand** l'action de la phrase se déroule.

Exemples :
1. **Ce matin**, la petite fille déjeune avec sa maman.
2. La petite fille déjeune avec sa maman **ce matin**.

2. Choisis un groupe de mots pour compléter chaque phrase. N'oublie pas de mettre une majuscule au début des phrases.

pendant les vacances	après l'école	au mois de juillet
quand il fait beau	chaque jour	durant l'été
tous les dimanches	au printemps	cette semaine

a) ____________________, Jonathan promène son chien.

b) Mes frères jouent au hockey ____________________.

c) ____________________, je donne à manger aux oiseaux.

d) ____________________, nous faisons un pique-nique.

e) Les enfants jouent au ballon ____________________.

f) ____________________ Oscar va chez sa cousine.

Écrire des phrases

Vocabulaire : dans la forêt

NOMS	
Singulier	Pluriel
un ours / un ourson un oiseau un écureuil un lapin un loup un arbre une branche une noisette une feuille	des ours / des oursons des oiseaux des écureuils des lapins des loups des arbres des branches des noisettes des feuilles
ADJECTIFS	
Singulier	Pluriel
haut / haute gros / grosse petit / petite méchant / méchante roux / rousse noir / noire blanc / blanche	hauts / hautes gros / grosses petits / petites méchants / méchantes roux / rousses noirs / noires blancs / blanches
VERBES	
ils jouent ils chantent ils courent	ils mangent ils ramassent

1. Écris une phrase pour chaque illustration.
Aide-toi des mots de la page précédente.

Vocabulaire : au zoo

NOMS	
Singulier	Pluriel
le singe	les singes
le lion / la lionne / le lionceau	les lions
l'éléphant / l'éléphanteau	les éléphants
la cage	les cages
un barreau	des barreaux
une grimace	des grimaces
un ballon	des ballons
l'eau	
ADJECTIFS	
Singulier	Pluriel
petit / petite	petits / petites
gros / grosse	gros / grosses
amusant / amusante	amusants / amusantes
mignon / mignonne	mignons / mignonnes
gentil / gentille	gentils / gentilles
noir	noirs
VERBES	
il grimpe	ils grimpent
il mange	ils mangent
il fait	ils font
il joue	ils jouent
il arrose	ils arrosent
il boit	ils boivent
il dort	ils dorment
elle lèche	elles lèchent

2. **Écris deux phrases pour chaque illustration. Aide-toi des mots de la page précédente.**

Rédaction de textes

Écrire une histoire à partir d'images

1. **Raconte une histoire à partir des images.**
   Tu peux te servir de la liste de mots de la page 78.

DÉBUT

MILIEU

FIN

Écrire une histoire à partir d'un texte à imiter

1. Lis l'histoire.
À la page suivante, écris ensuite une histoire en t'inspirant de ce modèle.

TITRE **L'enlèvement du petit prince**

Quand? Qui?

DÉBUT C'est l'automne. Le roi et le petit prince se promènent dans leur jardin.

Fait quoi? Où?

MILIEU Soudain, un coup de vent soulève le petit garçon dans les airs. Un dragon l'attrape aussitôt.

Il y a un problème.

Le roi saute sur son cheval volant. Il rattrape le dragon. Il lui pique la queue avec son épée. Le dragon ouvre la gueule. Le petit prince tombe sur le cheval derrière son papa.

Actions qui règlent le problème.

FIN Ils retournent dans leur jardin terminer leur promenade.

Phrase qui explique ce qui se passe quand le problème est réglé.

TITRE

DÉBUT

Qui ?
Fait quoi ?
Où ?
Quand ?

MILIEU

Il y a un problème.

Actions qui règlent le problème.

FIN

Phrase qui explique ce qui se passe quand le problème est réglé.

Faire une description à partir d'images

1. Observe bien les trois monstres.
Décris le monstre que tu préfères en t'aidant des mots de l'encadré.

le nez	les dents	les oreilles	les yeux	la tête
les jambes	les bras	les mains	les pieds	la langue
pointu	gros	énorme	grand	petit
rond	carré	long	court	méchant
sale	effrayant	terrible	poilu	noir
blanc	il s'appelle	il porte	il a	il mange
il est	il ressemble à			

Faire une description à partir d'un texte à imiter

**1. Alexis et Félix ont chacun un chien.
Lis la description du chien d'Alexis, puis décris le chien de Félix en t'inspirant de ce modèle.**

Le chien d'Alexis

Le chien d'Alexis s'appelle Blizzard.

Ses poils sont très courts. Il a des taches noires sur le dos et le bout de sa queue est noir.

Ses oreilles sont très longues. Ses pattes sont très courtes. Sa queue est pointue.

Blizzard aime beaucoup les biscuits.
Il a toujours l'air sérieux.

Le chien de Félix

CORRIGÉ

LECTURE

Différencier les accents

1.

3.

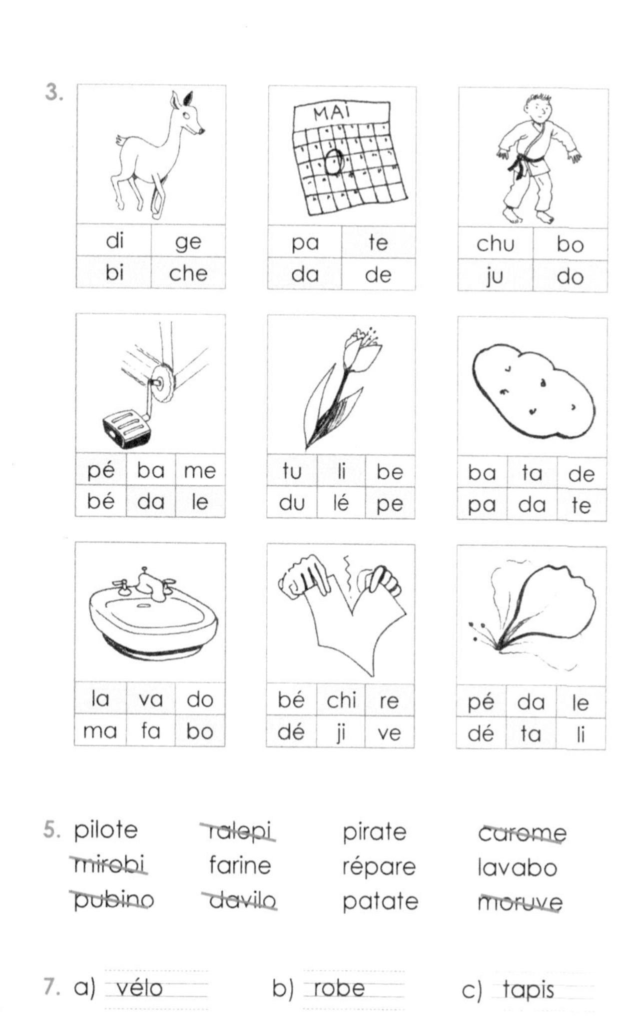

5. pilote ~~ralepi~~ pirate ~~carome~~
~~mirobi~~ farine répare lavabo
~~pubino~~ ~~davilo~~ patate ~~moruve~~

7. a) vélo b) robe c) tapis
d) tulipes e) forêt

Éviter de confondre les consonnes

1.

Reconnaître et mémoriser les sons difficiles

Les principaux sons difficiles

1.

4.

5. Il faut barrer ces deux phrases :

c) La gnadoule s'amuse dans la maison avec son amie.

e) Ce matin, le toudeau se promène dans la rue.

6.

une maison	du raisin
un poisson	la nuit
un papillon	le roi
la mouche	un château
des fruits	un masque
un peigne	un sapin

Le **c** doux et le **g** doux

2. a) Ce singe féroce qui mange sous l'orage a des puces.

b) Ce citron, cette pomme et cette orange sont trop acides.

c) Une girafe passe en silence sous le ciel sans nuages.

Le **c** dur et le **g** dur

3. a) Le chat regarde le canari dans sa cage.

b) Une couleuvre se cache sous la galerie.

c) Le chasseur découvre un canard près de l'écurie.

Éviter les inversions de lettres

3.

~~prope~~	~~borche~~	~~carbe~~
~~chève~~	~~darpeau~~	~~birque~~
~~palge~~	~~pulme~~	~~conpable~~
~~crone~~	~~cocodile~~	~~porblème~~

4.

il ouvre	un zèbre	mordre
du sable	une boucle	un ongle
une ombre	une chèvre	elle souffle
un coffre	un ogre	une ancre

5.

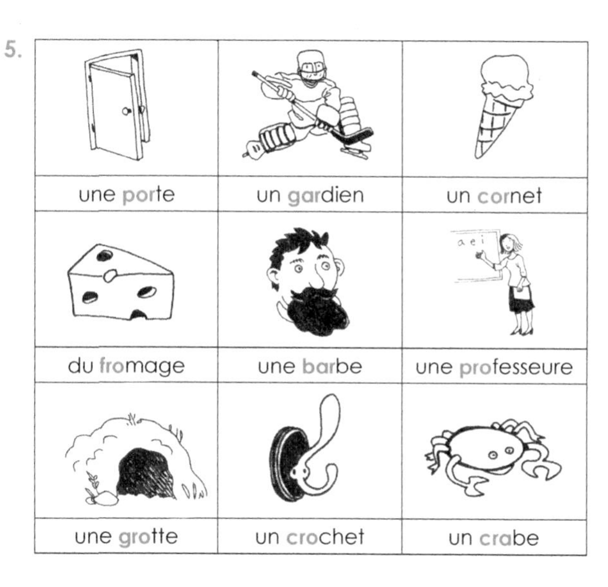

une porte	un gardien	un cornet
du fromage	une barbe	une professeure
une grotte	un crochet	un crabe

6. a) Je vois la lune et les étoiles, il est tard.

   b) J'apporte mes souliers chez le cordonnier.

   c) Mon chien grogne quand il voit le facteur.

   d) L'ours a laissé des traces de pas sur le sol.

Compréhension de lecture
L'imagerie mentale

1. Il faut cocher la phrase b :
   b) La marmotte est sur la table.

2.

3.

4.

5.

Reconnaître l'ordre chronologique

1.

2. [3] Arthur voit les chiens savants.

   [2] Arthur mange de la barbe à papa.

   [1] Arthur regarde les acrobates.

3. [4] Visiter les cousins Paul et Paulette.

   [1] Les vacances commencent.

   [3] Faire une promenade à bicyclette.

   [5] Faire une promenade en bateau.

   [2] Aller au cinéma.

4. [3] Pénélope mange de la soupe au poulet.

   [1] Le médecin rend visite à Pénélope.

   [2] La mère de Pénélope lui donne un médicament.

   [5] La mère de Pénélope lui chante une chanson.

   [4] Pénélope regarde par la fenêtre.

Les inférences : lire entre les lignes.

1. a) dans la salle de bain
   b) dans ma chambre
   c) dans la cuisine
   d) dans le salon
   e) dans le garage

2. a) une sorcière
   b) une enseignante
   c) une cuisinière
   d) un roi
   e) un médecin

3. a) La nuit
   b) L'après-midi
   c) Le matin
   d) Le matin
   e) Le soir

4. a) de la tristesse
   b) de la peur
   c) de la colère
   d) du courage
   e) de la joie

5. a) Le texte le dit clairement, elle a perdu **son devoir**.

   b) Le texte ne le dit pas clairement, mais je comprends qu'elle est **enseignante**.

   c) Le texte ne le dit pas clairement, mais je comprends qu'elle y est allée **mardi**.

   d) Le texte le dit clairement, elle a perdu **la clé de son cadenas**.

   e) Le texte le dit clairement, c'est **Mathilde**.

Comprendre les mots interrogatifs

Quand?
Quand cette histoire se déroule-t-elle?
Cette histoire se déroule le lendemain de l'Halloween.

Où?
Où la tortue de mer pond-elle ses œufs?
La tortue de mer pond ses œufs dans un trou dans le sable.

Qui?
Qui a sauvé la vie du poisson?
C'est Mélanie.

Qu'est-ce qui?
Qu'est-ce qui fait peur à Christophe?
C'est un léger grattement dans le mur qui fait peur à Christophe.

Pourquoi?
Pourquoi Fatima n'ira-t-elle pas à l'école?
Parce qu'il est tombé 40 cm de neige et qu'il n'y a pas d'école.

Comment?
Comment le canari est-il sorti de la maison?
Le canari est sorti de la maison en s'envolant par la fenêtre ouverte.

Combien?
Combien de sorcières sont arrivées en retard à la réunion?
Deux sorcières sont arrivées en retard à la réunion.

Est-ce que?
Est-ce que les dinosaures existent encore?
Non, ils vivaient il y a des millions d'années, mais maintenant, ils ont disparu.

1. a) Où?
   b) Qu'est-ce que?
   c) Pourquoi?
   d) Où?
   e) Qu'est-ce que?

Répondre à des questions à propos d'un texte

1. a) C'est Élise la poule grise.

   b) Prune a pondu son œuf sur la Lune.

   c)  Victoire  Pervenche  Élise

2. 

   a) Les canaris sont jaunes.

   b) Il est blanc.

   c) C'est le lapin qui a caché l'œuf bleu et l'œuf jaune.

3. a) L'éléphant danse quand il entend de la musique.

   b) Les deux kangourous jaunes sautent toute la journée.

   c) Non, les perroquets jaunes ne veulent rien apprendre et préfèrent jouer.

4. a) Monsieur Paul a acheté ses vaches dans un village qui s'appelle Saint-Isidore.

   b) Monsieur Paul a acheté ses vaches au printemps.

   c) La vache qui regarde passer le train s'appelle Lisette. (Paulette est restée dans l'étable et Babette mange du trèfle dans le champ.)

5. a) 3 Une vague dépose une bouteille aux pieds d'Émile.

2 Émile compte les nuages.

1 Émile ramasse des coquillages.

b)

	Vrai	Faux
L'histoire se passe la nuit.		✓
Le temps est à l'orage.		✓
Émile s'assoit parce qu'il est fatigué.	✓	
Émile voit des nuages qui ressemblent à des animaux.	✓	
Une vache chatouille les pieds d'Émile.		✓

6. a) 1. Sa taille : un petit animal. 2. Sa couleur : noire avec une bande blanche sur le dos. 3. La taille de sa tête : Elle a une petite tête. 4. La taille de sa queue : une grosse queue.

b) La mouffette mange des fruits le soir.

c) Quand elle a peur, la mouffette se défend en envoyant un liquide qui sent tellement mauvais que personne n'ose l'approcher.

d) Non, la mouffette n'a qu'un seul ennemi : le grand duc.

e)

	Vrai	Faux
La mouffette mange des pommes. **Mots du texte :** des fruits	✓	
La mouffette est très courageuse. **Mots du texte :** La mouffette a peur de tout.		✓
Il faut boire un verre de jus de tomate si l'on se fait arroser par une mouffette. **Mots du texte :** prendre un bain de jus de tomate		✓

7. a) Cette histoire se passe près d'un lac.

b) Albertine n'a pas d'amis parce qu'elle est très très timide.

c) Albertine est triste parce que sa balle est tombée à l'eau.

d) Quand le crapaud lui rapporte sa balle, Albertine la reprend et rentre chez elle en courant.

e) 3 Albertine et le crapaud deviennent amis.

1 Le crapaud rapporte la balle à Albertine.

4 Le crapaud se transforme en garçon.

2 Albertine court chez elle sans emporter le crapaud avec elle.

f) Pour que le crapaud redevienne un garçon, Albertine doit devenir son amie et l'embrasser sur le nez.

8. a) Le dragon vit caché dans des grottes, sous la terre ou au fond de l'eau.

b) Un dragon se déplace en marchant, en volant ou en nageant.

c) Un dragon crache du feu quand il est en colère.

d) C'est difficile de voler un trésor gardé par un dragon, car le dragon ne dort jamais.

e) Le dragon mange des princesses, des chevaliers, des bergers et des moutons.

f) Non. Les dragons sont des animaux imaginaires.

ÉCRITURE

Grammaire

Le nom

1.

Objets
pupitre
voiture
couteau
Animaux
chien
poule
koala

Personnes
facteur
élève
cousin
Sentiments
amour
colère
tristesse

2.

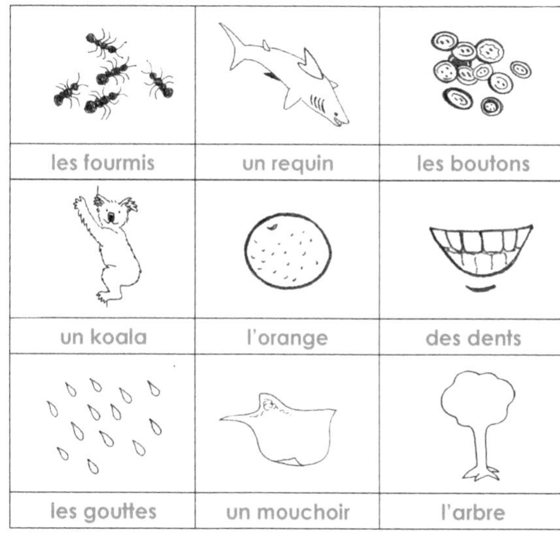

Les déterminants

1. Ma **mère** lit le **menu**. Elle choisit une **salade**. Je demande à la **serveuse** un **macaroni** à la **viande**. Mon **frère** veut une **soupe** et un **sandwich**. Mon **père** mangera du **poulet**, des **frites** et des **légumes**. Pour terminer, chacun prend du **gâteau** à l'**érable**.

   À la **fin** du **repas**, la **serveuse** apporte l'**addition**. Mes **parents** paient pendant que je mets mon **manteau**, ma **tuque** et mes **mitaines**. Nous rentrons à la **maison** où le **chien** Kiko nous attend.

Le féminin et le masculin

1. a) le lion **M**
   b) la chatte **F**
   c) la boîte **F**
   d) le pompier **M**
   e) la famille **F**
   f) la cage **F**
   g) le crocodile **M**
   h) la campagne **F**

2. a) une salade **F**
   b) un calendrier **M**
   c) un jouet **M**
   d) un mouchoir **M**
   e) une pharmacie **F**
   f) une chemise **F**
   g) un concombre **M**
   h) une fenêtre **F**

Le singulier et le pluriel

1. a) une mouffette **S**
   b) des patin**s** **P**
   c) les hibou**x** **P**
   d) du gazon **S**
   e) des raquette**s** **P**
   f) la baleine **S**
   g) des oiseau**x** **P**
   h) l'escalier **S**

Les pronoms

1. a) Mon père
   b) Marianne
   c) Xavier

2. a) **Le vent** souffle fort. Il a emporté les feuilles mortes.
   b) Je mange **une bonne pomme**. Elle est rouge et juteuse.
   c) **Une guêpe** me tourne autour. Elle veut me piquer.

Le verbe

1. a) Marie se déguise en sorcière.
   b) L'étoile brille dans le ciel.
   c) La nuit, je rêve souvent.
   d) La lionne chasse pour nourrir ses petits.
   e) L'autruche court très vite.
   f) Paul invite ses amis.

Rédaction de phrases

Qu'est-ce qu'une phrase ?

1. et 2.

a) L'éléphant aspire de l'eau avec sa trompe.

b) Le chauffeur de l'autobus s'arrête au feu rouge.

c) La grosse vague soulève le bateau.

d) Mon ami Jules suit des cours de karaté.

e) La Terre tourne autour du Soleil.

f) Nathalie observe les oiseaux.

g) Le chat dort sur le sofa.

3.

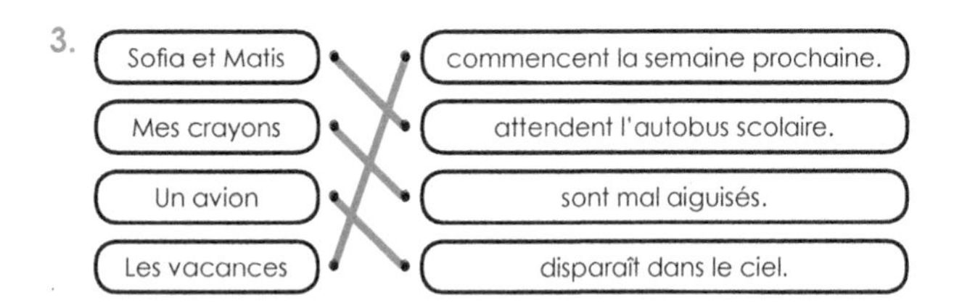

4. a) Mot en trop : mange
Maman raconte une histoire à sa fille.
Qui ? Fait quoi ?

b) Mot en trop : sable
La baleine plonge dans la mer.
Qui ? Fait quoi ?

c) Mot en trop : voiture
La petite tortue dort au soleil.
Qui ? Fait quoi ?

d) Mot en trop : table
Isabelle et Sonia font du canot.
Qui ? Fait quoi ?

Enrichir des phrases

1. Exemples de réponses :

a) Les élèves jouent au ballon-chasseur **dans la cour de l'école**.

b) Martin construit une cabane **dans le jardin**.

c) Lulu installe des lumières de Noël **sur le sapin**.

d) **Au bord de la rivière**, Timothée cherche des grenouilles.

e) **Dans le sous-sol**, Marguerite joue de la guitare.

f) **Devant la maison**, Félicien joue avec son cousin.

2. Exemples de réponses :

a) **Quand il fait beau**, Jonathan promène son chien.

b) Mes frères jouent au hockey **après l'école**.

c) **Chaque jour**, je donne à manger aux oiseaux.

d) **Au mois de juillet**, nous faisons un pique-nique.

e) Les enfants jouent au ballon **tous les dimanches**.

f) **Pendant les vacances**, Oscar va chez sa cousine.

Écrire des phrases

Vocabulaire : dans la forêt

1. Exemples de réponses :

Des méchants loups courent après les petits lapins.

Des écureuils mangent des noisettes.

Des oursons jouent dans les feuilles.

Des oiseaux chantent dans un arbre.

Vocabulaire : au zoo

2. Exemples de réponses :

Il y a trois lions. Le gros lion dort et la lionne lèche le gentil lionceau.

Un singe amusant grimpe aux barreaux de la cage. Un autre singe mange une banane.

Un éléphant boit de l'eau. L'autre éléphant arrose l'éléphanteau qui joue avec un petit ballon noir.

Rédaction de textes

Écrire une histoire à partir d'images

1. Exemple de réponse :

DÉBUT

Une petite fille se promène dans la forêt. Un écureuil et un lapin courent à côté d'elle. Des oiseaux picorent sur le bord du chemin.

MILIEU

Soudain, un loup surgit derrière un arbre. La petite fille ne l'a pas vu. L'écureuil et le lapin s'enfuient. Les oiseaux s'envolent, effrayés.

FIN

La petite fille se retourne et tire la langue au méchant loup qui se sauve en courant.

Écrire une histoire à partir d'un texte à imiter

1. Exemple de réponse :

DÉBUT

C'est l'été. Thomas et Mathieu pique-niquent dans le parc.

MILIEU

Soudain, des guêpes arrivent. Elles tournent autour d'eux et essayent de se poser sur leur dîner. Ils ont peur d'être piqués.

Thomas coupe un petit morceau de cantaloup et le pose un peu plus loin, dans l'herbe. Les guêpes foncent dessus et commencent à le manger.

FIN

Pendant ce temps, Thomas et Mathieu peuvent reprendre leur pique-nique sans être dérangés.

Faire une description à partir d'images

1. Exemples de réponse :

Mon monstre préféré est très poilu. Il a quatre bras, de grands pieds, un gros nez rond et de petites dents pointues. Il tient une fleur dans une main et salue avec une autre main. Il s'appelle Peluche.

Mon monstre préféré s'appelle Drago. Il a deux têtes. Sur chaque tête, il y a deux grandes cornes. Ses deux langues sont longues et fourchues. Ses bras sont petits. Ses pieds se terminent par d'énormes griffes pointues. Sa queue est rayée de noir.

Mon monstre préféré a la peau couverte de gros points noirs. Il est assis et il mange une araignée. Il n'a pas de dents et il a une grosse langue. Ses oreilles sont pointues. Il a des pieds larges avec des orteils très pointus. Son nom est Vorace.

Faire une description à partir d'un texte à imiter

1. Exemple de réponse :

Le chien de Félix s'appelle Hercule.

Ses poils sont très longs. Ses oreilles sont petites et pointues. Ses pattes sont longues. Sa queue est courte. Il a souvent la langue sortie.

Hercule aime beaucoup jouer. Il a toujours l'air content.